花とゆめCOMICS

スキップ・ビート！

第4巻

仲村佳樹

■目次

スキップ・ビート！

スキップ・ビート！
4

スキップ・ビート!
ACT.18 天使《てんし》の言霊《ことだま》—後編《こうへん》—

スキップ・ビート！
4

――大丈夫《だいじょうぶ》よ マリアちゃん
マリアちゃんのパパは
マリアちゃんを嫌《きら》ったりしてないわ
パパがすぐアメリカへ発《た》ってしまったのは
マリアちゃんと居《い》たくないからじゃないのよ
大事《だいじ》なお仕事《しごと》を残《のこ》してきたから
わかるでしょう?
…わかってるわ――…
今《いま》までだってそうだもの

パパはきつと ずつと前《まえ》から マリアを好《す》きじゃ なかつたの――…
違《ちが》うんだよ
今《いま》まで マリアちゃんのパパが ママほどには お手紙《てがみ》や 電話《でんわ》をくれなかったのは
マリアちゃんの事 好きじゃないんじゃなくて
お仕事《しごと》が忙《いそが》しい からなんだ
みんな
決《き》まって同《おな》じ様《よう》な 事《こと》しか言《い》わなかつた
まるで
可哀相《かわいそう》な子供《わたし》を それ以上《いじょう》 傷《きず》つけない様《よう》に
初《はじ》めから 決《き》められてる セリフみたいに
――だから
誰《だれ》の言葉《ことば》も 嘘《うそ》に聞《き》こえた
大人《おとな》なんて 信《しん》じられな かつた
――そうよ
マリアちゃんと パパは 今《いま》まで 一緒《いっしょ》に遊《あそ》んだり 出《で》かけたりした事《こと》が 無《な》かったんだ…

それじゃあ
仕方《しかた》がないかも
なぁ〜〜〜…
…なにが？
パパはね
マリアちゃんと
どう接《せつ》していいか
わからないだけ
なんだよ…
蓮様《れんさま》だって
みんなと同《おな》じだって
マリア
ちゃんは
久《ひさ》しぶりにパパと
会《あ》う時《とき》は
どんな気持《きも》ち？
誰《だれ》も
本当《ほんとう》の事《こと》を
言《い》わないだけ
だって
いつも
…
…うれしい
……
ぽと…
そうやって
…でも
ちょっぴり
てれくさい…
くす…
…ほらね

パパもマリアちゃんと同《おな》じなんだよ
みんなの言葉《ことば》を
否定《ひてい》してきた
……だって
マリアちゃんが思《おも》ってる事《こと》は
パパも
同《おな》じ事《こと》を思《おも》ってるはずだよ――……
…マリアちゃん…
――怖《こわ》かったの
みんなの言葉《ことば》で
私《わたし》の心《こころ》が
勝手《かって》に期待《きたい》しちゃうのが――……

――…だから
ガクガク
ガク
ガク
――期待《きたい》なんか
しないわ――…
してないわ
ガク
ガク
ぎゅう
…だって
もう
わかってたもの
ずっと前《まえ》から
…!!
はっ
…マリア…ッ
私《わたし》は
『――あなたはね

お父様《とうさま》に
憎《にく》まれてるの——』

――……
ぼろ ぼろ ぼろ ぼろ ぼろ
ぼろ ぼろ ぼろ ぼろ ぼろ
――……
――……
私《わたし》は 今《いま》 泣《な》いているわ!!
……マリ……
……あ……ああ
……それは
誰が見ても 一目瞭然
でもこれは 刃物《はもの》のように切《き》れ味《あじ》の いい あの人《ひと》の率直《そっちょく》で 的確《てきかく》なセリフに 感動《かんどう》したからよ!!
今更《いまさら》 本当《ほんとう》の事《こと》を 言《い》われたからって 傷《きず》ついたり しないもん!!
……いや……何《なに》も そんな無茶《むちゃ》な言《い》い訳《わけ》 しなくても
言《い》い訳《わけ》じゃ ないもん!!
本当だもん!!
そうよ 決《けっ》して
……お父様《とうさま》が……

…私《わたし》を…
…そうよ…
あの子《こ》…
この後《あと》どうつなげる気《き》……？
ザワ ザワ
一体《いったい》何《なに》考《かんが》えてるの…!?
…
お父様《とうさま》の態度《たいど》で
わかるでしょう…？
…
…お父様《とうさま》はね
…あなたなんか
これっぽっちも
ふんっ
愛《あい》していないわ
ズキン
…ウソよ…っ

…あ…
しまった
つい…っ
流れでっ
反論しちゃったっ
……
あの子《こ》――…!!
――…ウソ…?
ふ…
ピクッ
…あ――…
どうして
ウソだなんて
……?
…え…
だ…っ
だって…っ
!
はっ
そだっ

お父様《とうさま》は毎日写真《まいにちしゃしん》を持《も》ち歩《ある》いてくれているわ!!
ザワ…
…え
……
…入《い》れかわってる…
フローラ　お父様は毎日写真を持ち歩いてくれているのよ』
エンジェル『お兄様のだって　お姉様のだって　持ってくれてるじゃない!!　私一
お兄《にい》さまのだって私《わたし》のだって 持《も》ってくれてるじゃない!!
あなた一人《ひとり》じゃないわ
姉《フローラ》と妹《エンジェル》のセリフが入《い》れかわってる…!!
フローラ
エンジェル
フローラ
写真を持ち歩いてくれているのよ』
『お兄様のだって　お姉様のだって持ってくれてる
『ピアノの発表会だって…っ　どんなにお仕
あなたが出る発表会には必ず出席してくれ
——…
…そ…っそれに!!

どんなにお仕事《しごと》が忙《いそが》しくたって 私《わたし》が出《で》るピアノの発表会《はっぴょうかい》には必《かなら》ず出席《しゅっせき》してくれるわ!!
そんなの世間体《せけんてい》が悪《わる》いからよ
ピアノ学校《スクール》主催《しゅさい》の発表会《はっぴょうかい》だもの
来《こ》ない親《おや》の方《ほう》がどうかしてるわ
どうかしている
…あ!!
掘《ぼ》こっ
ピアノの発表会どころか学校行事のイベントにさえ出ない親
おっ…お誕生日《たんじょうび》のプレゼントだって買《か》ってくれるわ!!
あなたなんてどうでもいい証拠《しょうこ》だわ
選《えら》んでいるのは私《わたし》よ
あなたが何《なに》が好《す》きかわからないなんてお父様《とうさま》は
ああ!!
アリアッ
どうでもいい
どうかしている
掘こ
掘こ掘こっ
去年の誕生日 初めて父単独で送ってよこしたのは娘の好みを全く無視したプレゼント
おそらく米国《むこう》で流行ったのであろう品(喋る踊る育つ)
マミー
マミー
青紫の肌

い…っ今《いま》だってっ
毎週《まいしゅう》遠《とお》い仕事《しごと》先《さき》からお手紙《てがみ》をくれるわ!!
毎回《まいかい》
書《か》かれている内容《ないよう》がほとんど変《か》わりばえしない文章《ぶんしょう》の？
おはようマリア。今日も日本はいいお天気かい？
あんなの
前《まえ》のを写《うつ》せば何分《なんぷん》もかからないでしょう？
…
とても
心《こころ》がこもってるなんて思《おも》えないわ
…そ…
そんな事《こと》ないもん!!

御挨拶

こんにちワ。仲村です。スキップ・ビート4巻を手にとっていただきありがとうございます。

今回は出番が少ないショータローとキョーコをやっと!! 芸能界でからませる事ができました。キョーコがまだかけ出しの超新人なものだからショータローとの接点が無くて大変です…! 正直な話奴の登場があまりにも無さすぎてACT20の引きで奴の登場を描いた時人相が変わってしまっていました……

幼くそしてまるで女の子の様な顔に……

その引きページのリードで『たとえトリになろうとこの顔だけは忘れない!』って編集が入れてくれてたんだけど私はそれを読んだ瞬間『…そうね…キョーコは忘れてなくても作者が忘れてるのよ…』とそっとツッコミを入れてしまいました。

ごめんね ハオリン

↑担当氏愛称

おかげで今回も描き直しがもりだくさんでいきなり仕事の日程を狂わせまくる私……

予定通りに進行できない作家で本当申し訳ないです。

ぼと ぼと
ぼと
ぼと ぼと
ぼと
一日《いちにち》二回《にかい》のメールだから何《なに》…?
いつも同《おな》じ言葉《ことば》で同《おな》じ文章《ぶんしょう》?使《つか》いまわしじゃない
手抜《てぬ》きもいいとこね
カップラーメンの方が余程手間がかかってめんどくさいわ
……!!
はっ
カチーン!!
ヘッ
失礼《しつれい》な事《こと》言《い》わないでよ——!!
パパのメールもカップメンと一緒にしないでちょーだい!!
こいや……
お前《まえ》がいつも言《い》ってる事《こと》だよ
手抜きだ即席だと
——……
——……だから……?

だいたい夜《よる》の
メールが来《く》る頃《ころ》 米国《むこう》は
真夜中《まよなか》なのよ!!
それに合《あ》わせて毎日《まいにち》
メール送《おく》って来《く》るの
大変《たいへん》なんだから!!
…そしてそれは
いつも我々《われわれ》が
お前《まえ》に切々《せつせつ》と
言《い》い聞《き》かせた
セリフ…
そんなの本人《ほんにん》の手《て》で
送《おく》って来《き》てるとは
限《かぎ》らないじゃない
そしてきまって
マリアがこう
反論すると →
……
パパが自分専用《じぶんせんよう》の
パソコンを他人《たにん》にさわ
らせる訳《わけ》がないでしょ!!
↑大人達はこう
返す
そんなのわかん
ないでしょ!?
わかる
わよ!!
ちょっと何《なに》?
急《きゅう》に……っ
どうなってんの!?
芝居《しばい》が
途絶《とだ》えちゃった
じゃない!!
あのガキッ また
ジャマを!!
…
何《なに》がわかるの!?
フローラ『何《なに》がわかるの!?
…え…?
あなたに
『パパ』の何《なに》が
わかるの!?
フローラ『何《なに》がわかるの!? あなたにお父様の何《なに》がわかるの!?
違《ちが》う
続《つづ》いてる
…え!?
脚本《もと》の通《とお》りに
続《つづ》いてる…!!
さっきの
セリフで

フローラはフローラのセリフにもどってる!!
フローラ
『何がわかるの!? あなたにお父様の何がわかるの!? あなたお父様とは
あなた『パパ』とは
ろくに会話《かいわ》もしないくせに!!
——それじゃあ
仕方《しかた》がないかもなぁ〜〜〜……

パパはね
マリアちゃんと
どう接《せっ》していいか
わからない
だけなんだよ
マリア
今日の
学校はどうだった？
お友達とは

何をして遊んだのかな？
――…パパ…
宿題は
パパのメールがいつも同《おな》じ様《よう》な文《ぶん》なのは
ちゃんと終わらせたかい？
私《わたし》が
夜更かししないで
一度《いちど》も返事《へんじ》を返《かえ》した事《こと》がないから…？
そろそろ　おやすみ
マリアにとって明日も
…私《わたし》の事《こと》を
ほとんど知《し》らないから――…!?
いい一日である様に

パパ――…!!
『パパ』があなたの事《こと》を本当《ほんとう》はどう思《おも》ってるかなんて あなたにわかる訳《わけ》ないわ
!!
…そ…そんな事《こと》ないわ…っ
わからないのよ!!
同《おな》じ言葉《メッセージ》に心《こころ》がこもっていないと思《おも》ってる人《ひと》にはわからないわ!!
わかるわよ!!
だって いつもメールの最後《さいご》には
おやすみ
マリア。
愛《あい》してるって
入《い》れてくれるもん!!

マリア今日の学校はどうだった？
お友達と何をして遊んだのかな？
宿題はちゃんと終わらせたかい？
夜更かししないでそろそろおやすみ
マリアにとって明日もいい一日で
ある様に
おやすみ マリア．
愛してるよ
愛してるよ
……っ
――……!
……マリア…
――……ずっと
……お前《まえ》――……!
パパのメールは
おじい様《さま》に言《い》われて
送《おく》られてきてるもの
なんだと思《おも》って
いたの――……

だから
返事《へんじ》なんか
返《かえ》さなかった
返《かえ》したって
パパからの
返事《へんじ》は返《かえ》って
こないって
思《おも》ってたから
――…
――嫌《きら》われてるって
……
これ以上《いじょう》
はっきりさせたく
なくて
ぽ…
毎日《まいにち》送《おく》られてくる
そのメールを
――
ぽ…
ずっと…
信《しん》じて
なかったの――…
ぽろ
ぽろ
ぽろ
ぽろ
愛してるよ
パパ――…
そ…

ふわ…
…ほら…
ね

答《こた》えが出《で》た——…
パパとの間《あいだ》に
壁《かべ》を作《つく》ってたのは
私《わたし》の方《ほう》だ——…
ザワ
ザワ
ザワ
ザワ
カタ
カタ
カタ
カタ
カタ…
——…

…そお――――…
ちら…
ぎと―――…
…う…
〜〜〜…
…な…
なに……?
あ…あの…
モー子さん…さっきから…
……
ギン
ギン
…あんた…
…狙《ねら》ってた
わね……
…え…?
なに…なにを…
最初《さいしょ》から
姉と妹のセリフ
入《い》れかえを狙《ねら》ってた
わねっ
…あ…
バレちゃった……?
「姉《あね》」と「妹《いもうと》」のセリフ
がね
途中《とちゅう》までお互《たが》い
入《い》れかえても話《はなし》が
通《とお》る事《こと》に気《き》が
ついたの
それに「妹《いもうと》」のセリフ
「姉《あね》」が「妹《いもうと》」を憎《にく》んでる
って感《かん》じのセリフにも
使《つか》えそうだなって
思《おも》って…
…
…そのために
途中《とちゅう》で
セリフを
変《か》えたのね

お父様《とうさま》だって人間《にんげん》よ
我《われ》を忘《わす》れて取《と》り乱《みだ》せば
本気で人《ひと》をキズつけてしまう事《こと》もあるはずよ？
姉《あね》と妹《いもうと》セリフの入《い》れかえ
スイッチのために
あなたなんか
これっぽっちも
愛《あい》していないわ
…ウソよ…っ
…あ…
しまったつい…っ
……
うん
良《よ》かったわぁ…エンジェル役《やく》の子《こ》があそこで反論《はんろん》してくれなかったら私《わたし》どうしようかと思《おも》ってたの
だから『ウソよっ』って言ってくれた時思わずホッとしちゃってついつい口もとゆるんじゃった
カキ
カキ
…あの子《こ》が「姉《あね》」のセリフを返《かえ》してくれなかったらどうしてたのよ
っていうか…
…あら
私《わたし》が脚本《きゃくほん》に沿《そ》ったセリフを言《い》えば相手《あいて》も脚本通《きゃくほんどお》りのセリフを返《かえ》してくれる自信《じしん》はあったのよ？
だって
フローラ
エンジェ 自分の真実のフローラ泣きじゃく 抱きしめる。
『…ほら…ね…？答えが出た───…』
必《かなら》ずとっさに出《で》てくるのは

いつも聞《き》き慣《な》れてるセリフのはずでしょう――…？
ふふ…
――…
…っこ――…
この子《こ》――…!!
パパー
ブルルルル
ブオオオオ
…ええ…!?
48万円《まんえん》
結局全額《けっきょくぜんがく》払《はら》う手続《てつづ》きしてきちゃったのぉ!?
ゴオオオオオ
ど――してぇ!?
…
う～～ん…
それが

蒼白
――――……まぁ……
初心者《しょしんしゃ》のわりには よく頑張《がんば》ったと思《おも》うわ
でもね
途中《とちゅう》で社長《しゃちょう》の孫《まご》を 相手《あいて》にしたから 無効《むこう》よ!!
文句ある!?
そうよ!!
たとえ『妹《いもうと》を憎《にく》む姉《あね》』の 条件《じょうけん》でテストシーンの 姉《フローラ》の最後《さいご》のセリフまで いけたとしてもね
私達は認めないわ!!
文句ある!?
よって!!
絶対無効!!
〜〜〜〜っ 〜〜〜〜〜っっ
わなわなわなわな
…あ… …あつの 口《くち》だけトリオ〜〜〜!!
……まぁ…… いいのよ
分割払《ぶんかつばら》いさせて もらえる事《こと》には してくれたし
これで『寄生虫』呼ばわりもさせないわっ
―――!
……お姉様《ねえさま》……
……ごめんな さい……
…私《わたし》の せいで…
しゅうん…
!
い…っ
いいのいいの!! 私《わたし》はスッキリ してるんだから!!
いやだわ も〜っ この子ったら ダメね〜 子供のくせに 気遣い症なん だから!!
それよりあなた 自分《じぶん》の心配《しんぱい》なさい
…え…?

パパになんて
メール返《かえ》すか
ちゃんと決《き》めたの？
!!
ぴきょんっ
…っ
かああああっ
…ま
まだ…っ
あらどうして？
だ——って
何《なに》送《おく》っていいか
わかんないん
だも——ん!!
パパの情報量《じょうほうりょう》が
少《すく》なすぎるわ
——!!
あ～ら そんなの
パパだって同《おな》じ
だったはず
でしょ～～
お互い様よっ
そうだけど
～～～っっ
…
そうだ
もういっそ
電話に
しちゃえば？
——…
——…参《まい》ったな
——…

いきなり電話!? そんなのイヤ〜〜!!
むこうが出る前に絶対切るわー!!
くすくすくす
それじゃイタ電じゃなーい
やってのけてしまった——…
——それも
——もし マリアちゃんの心《こころ》のしこりを取《と》ってあげる事《こと》ができたら
養成所《ようせいじょ》へ入《い》れてもらってもいいですか…!?
これから演技《えんぎ》を勉強《べんきょう》したいという初心者《しょしんしゃ》が——…
本当《ほんとう》に
——芝居《しばい》を通《とお》して——…
——…
——…この子《こ》…
ひょっとして……

俺《おれ》の想像《そうぞう》をはるかに超《こ》えた
爆弾《ばくだん》に
なるかもしれん――…
ACT.18 天使の言霊ー後編ー／おわり

スキップ・ビート!
ACT.19 てのひらのブルー

――だって
必《かなら》ずとっさに
出《で》てくるのは
いつも聞《き》き慣《な》れてるセリフのはずでしょう――……?
…あなどってたわ…
ただの所帯臭《しょたいくさ》い娘《むすめ》だと思《おも》ってたのに――!!
ガツッガツッ
ガツッガツッ
あの子《こ》――!!
とぼけた顔してなんてしたたかなの!!
平和の象徴 →
白ハト
ふくふく
モー子《こ》さ～んっ
ねーーっどうしてそんな一人《ひとり》でガシガシ行《い》っちゃうのぉ～～～っ
うるさいわね!! 話《はな》しかけないでよ!!
ぷんっぷんっ
ガツッガツッガツッガツッガツッ
私達コンビなんだから仲良く歩こうよぉ～

今日《きょう》からあんたは私《わたし》の敵《てき》よ――!!
ガツッ ガツッ ガツッ
…あの人《ひと》…
どうかしたの？
さあ～…
わかんない……
ひね
でも…なくんか怒ってんのよね～～…
…
…ねェえ？
お姉様《ねえさま》
!?
ちらん
もじもじ
お…お姉様!?
…って…
わ…わたくし!?
あのね
参考《さんこう》までに聞《き》いておきたいのだけど……
お姉様《ねえさま》は
お父様《とうさま》とは普段《ふだん》どんなお話《はなし》をするの？
…え…っ
～～～…っ
～～～…っ
どきどき
わくわく
…ご…っ
…ごめんなさい…
…私《わたし》…
その…
お父《とう》さん居《い》ないから…
…よくわかんない……
の…
ポリポリ
えへへ…
…っ

ごっ…ごめんなさい…っ
私ったら知らずに…っ
あっ ううん いいのいいの
なれてるから
えとっ じゃあ…あの…あの
お母様《かあさま》とは？
ひゅうう～
どろどろどろどろ
…
——!…
……お…お姉様《ねえさま》
…も…もしや…
……お母様《かあさま》まで……
…あ…
ううん…
母《はは》は…
居《い》るんだけど…
そ…そっか…
ホッ
よかった
マリアちゃん
パパにメール何送っていいかわかんないんなら…
…
——…!
!
——…ええ!?

…でも……
大丈夫《だいじょうぶ》よ
マリアちゃんから『会《あ》いたい』って言《い》われたら
パパはすぐ飛《と》んで帰《かえ》って来《く》るはずよ
———…
…でも…
きゅう
また
わがまま言《い》って…
今度《こんど》は
パパの飛行機《ひこうき》が事故《じこ》に遭《あ》ったりしたら———…
あら そんな事《こと》 絶対《ぜったい》ありえないわ
マリアちゃんがパパの無事《ぶじ》を祈《いの》るんだもの
マリアちゃん一人《ひとり》の気持《きも》ちで十分《じゅうぶん》
効《き》き目《め》があったのはわかったじゃない？
———…
…え…？
ほら お願《ねが》い事《ごと》アイテムの

人《ひと》
型《かた》
キャンドル
…？
キャンドルの背中《せなか》に彫《ほ》った名前《なまえ》は
敦賀蓮《あのひと》の名前《なまえ》じゃなくて……
本当《ほんとう》は
…パパ…
…なんでしょ…？
──どうか…
パパが
マリアを好《す》きになってくれますように
────…

——どんなに歯車《はぐるま》が
かみ合《あ》っていなくても
マリアお前はもう先に帰りなさい
車は待機させてるから
ええ〜〜〜っ
お互《たが》いが強《つよ》く想《おも》い合《あ》っていれば
そうよマリアちゃん
パパからメール入《はい》る時間《じかん》じゃない？
あ——っ!!
ホントだーっ やだっいっけなーい♪
いつか
気持《きも》ちは結《むす》びつくわ…
じゃあっ
お姉様《ねえさま》ーっ今日《きょう》は本当《ほんとう》にありがとーっ
またねー
——…そこにはね

奇跡《きせき》だって
起《お》こせる力《ちから》が
生《う》まれるの―――…
ふ…
―――…決《けっ》して
一方通行《いっぽうつうこう》では
生《う》まれない
チカラ――…
……
…最上君《もがみくん》…

安芸祥子

ショータローのマネージャー
この人の名前を本当に
何も考えず なんとなく
ウッカリと祥子にして
しまったのですが
後でよく考えると何で
不破尚と祥子で二人
仲良く

ショウ×ショウ コンビ
なのよ…とちょっと
あせりました…。…まあ
実際必要以上に仲良く
してはいそうですがね。
そんな訳で この人の
名はただのウッカリ
祥子で 特に他意あって
のものではありません。

…話《はな》さなければ……

…LMEには…
置《お》いて
…もらえないんですか……？
…私《わたし》が
どこで何《なに》をしていようが
関心《かんしん》のない人《ひと》だとわかっていても……
それでも……

母親《あのひと》の了承《りょうしょう》が…
必要《ひつよう》ですか……？

アノヒトノ
リョウショウガ
ヒツヨウ
デスカ――……？

――……いや……
……そんな事《こと》は
ないが――……
――……思《おも》わず……
そう答《こた》えていた……
否定《ひてい》する事《こと》も
それ以上《いじょう》 詳《くわ》しい事情《じじょう》を聞《き》く事《こと》も出来《でき》ず――……
――……

今《いま》にも
泣《な》き出《だ》しそうな
あんな
辛《つら》そうな表情《かお》をされたのでは……
――まるで
膿《う》んだ傷口《きずぐち》に刃物《はもの》をつき立《た》ててる様《よう》な気《き》がして――……
〃――親《おや》だって〃
〃本気《ほんき》で
実《じつ》の子《こ》を憎《にく》めるの――……〃
――…あの時《とき》の
彼女《かのじょ》の演技《えんぎ》の「リアルさ」に何《なに》かひっかかるものがあった――…
始《はじ》めは
役《やく》に入《はい》り込《こ》んでいるからなのかと思《おも》っていたのだが――…

――……
――……まさか――――……
F6
ぶつ
ぶつ
ぶつ
ぶつ
F5
ぶつ
ぶつ
ぶつ
…大丈夫《だいじょうぶ》…
…大丈夫《だいじょうぶ》…
…大丈夫《だいじょうぶ》…

私《わたし》は
大丈夫《だいじょうぶ》…
もう
大丈夫《だいじょうぶ》
全然《ぜんぜん》
大丈夫《だいじょうぶ》……
ぶつ
ぶつ
ぶつ
ぶつ
…ん…っ
よっし…!!
パッ
大丈夫《だいじょうぶ》!!

こそ…
…また
頼《たよ》っちゃったね——……
悲《かな》しい気持《きも》ちを
吸引《きゅういん》してくれる

悲《かな》しい色《いろ》の
なで なで
碧《あお》い石《いし》…
…本当《ほんとう》は
もっと明《あか》るい所《ところ》で 見《み》るのが 一番綺麗《いちばんきれい》 なんだけどなぁ…
ん〜…
あれっ
最上《もがみ》さん⁉
は
さ…椹《さわら》さん…‼
いミっ 今お帰り ですか⁉
さささっ
びミっ びっくり したぁ…っ
何《なに》してるん だい
こんな所《ところ》で…
小っちゃく なっちゃって
い…
どっきりっ
ぴよっ
カーン…
…いええ…
ちょっと
えへへ
ふるる
カン…
カン…
は…
カン…
カン…
パー
パー

あはー!!
っっっっっっ
っっっっっっ
キャアアアアア
キャア

アアアアア
コツン
ス
――……
ドドドドドドド
ドカーーッ

…っ
ヨロロ…ッ
…コーーン!!
ピクミッ

…あ…
…
…やあ… どうした…? そんなに慌《あわ》てて
『ドカーン』
頭つき跡
ツッパリ手形
…あ あの…っ
石《いし》…っ
石《いし》 落《お》ちて 来《き》ません でした…!?
少《すこ》し 紫《むらさき》がかった 碧《あお》い石《いし》なん です…!!

…君《きみ》の…？
はい…っ
とっても大事《だいじ》なものなんですっ
オロオロ
あれっ蓮っ どうしたんだ なんか事務所に用か？
…いやだ…
ウロウロ
キョロ
キョロ
見《み》つかんなかったらどうしよう…っ
あんな所《ところ》から落《お》っことすなんて
私のバカ!!
うるるるる
たとえ見《み》つかっても
きっと割《わ》れてたりカケてたりするかもしれないわ〜〜〜〜!!
はあああああん
ごめんね〜〜〜コ〜〜オン〜〜〜
…
…
…『コーン』って…
さっきも言《い》ってたが 君《きみ》は
その石《いし》に名前《なまえ》をつけてるのか…？
…いけませんか……？
ぐす
…いや…
まあ…
そりゃいけなくはないが…

…『コーン』は
その石《いし》をくれた人《ひと》の名前《なまえ》です
コーーン
とうもろこし
…かわいそうな名前《なまえ》だな…
あだ名《な》にしても…
…そいつ
イヂメられてなかつたか…？
子供《こども》の頃《ころ》…
泣《な》き虫《むし》だった私《わたし》に 彼《かれ》がくれたんです
自分《じぶん》にも大事《だいじ》なものだったのに…
少《すこ》しでも
私《わたし》の涙《なみだ》の数《かず》が減《へ》る様《よう》にって――…
…それなのに…
私《わたし》…

そんな大切《たいせつ》なものを……!!
どよっ
…ああ…っ
ごめん ごめん 最上《もがみ》さん 俺《おれ》がいきなり声《こえ》かけたからいけなかったんだよな…っ
俺が悪かったよっ
ふいいいいいんんん
――――…あ…
!
ミス…
…これ…?

ビョッ
ビヂッ
ビヂッ
ピャーンッ
キャアアアアッ
パインッ
パインッ
ぢ"……
ドキドキ
まじまじ
…あーー
……
…どこも割《わ》れてない……
カケてない……
…無事《ぶじ》だった——…

…よかった——……
…ほぉ…
…あの子《こ》のあんな笑顔《えがお》は初《はじ》めて見《み》たな——……
…本当《ほんとう》に……

ありがとうございました……!!
深々
…いや…
…君《きみ》さ……
…はい…?
…
もしかして

京都《きょうと》に住《す》んでた？
…え…!?
…な…
なんで…？
そんな事《こと》…
限《かぎ》られた人間《ヒト》しか知《し》らないはずなのに
社長さん
さわらさん
その他の部門の主任さん
どうして敦賀蓮《このひと》が知《し》ってるの――…!?
ACT.19 てのひらのブルー／おわり

スキップ・ビート!
ACT.20 呪《のろ》われた夜《よる》

——君《きみ》さ
もしかして
京都《きょうと》に住《す》んでた——…？
——…な
なんで——…!?
………
どうして敦賀蓮《このひと》がそんな事《こと》知《し》ってるの……!?

違《ちが》った?
…え…!?
…い…いえ…
それは……
…合《あ》ってます…けど…
あの…
どうして——…
…
…その石《いし》
京都《きょうと》で採《と》れるって知《し》ってる?
ええ!?
こんな色《いろ》の石《いし》が!?
ウッソ!! 知らなかった!!
スゴイ!!
ドキドキ
本当《ほんとう》ですかぁ!?
本当《ほんとう》なら
地元《じもと》の君《きみ》が知《し》らないハズないじゃないか
むぅ。
君《きみ》
そんなのが一度《いちど》でも京都名産《きょうとめいさん》として土産物屋《みやげものや》に並《なら》んでるの 見《み》た事《こと》あるかい?
——…
まったく…
ふるふる
ふう~
やれやれ

本当《ほんとう》に君《きみ》は騙《だま》されやすいな…
…ま…
そんな無防備《むぼうび》でよく今《いま》まで無事《ぶじ》に生《い》きて来《こ》られたね
少しは学習能力身につけないと
…ま…っ
ふるふる
ふるふる
そんなんじゃいつか悪《わる》い男《おとこ》に騙《だま》されて泣《な》く事《こと》になるよ…
…って
もしかしてもう騙《だま》されて泣《な》いた後《あと》だったりして？
時既に遅し？。
的確
ばすいっ
致命傷っ
また騙《だま》された———…!!
大《おお》きなお世話《せわ》です!!
この人《ひと》!! 私《わたし》と会《あ》うと一度《いちど》は騙《だま》さないと気《き》がすまないわけ!?
…あ…
ひょっとしてその騙《だま》した相手《あいて》って

例《れい》のアイツ・・・だったりして？
!!!
例の？アイツって？
まさか
それでアイツに復讐《ふくしゅう》したいとか言《い》ってたワケ
逆恨《さかうら》みもいいところだな
おいおい
世の中はな騙す方より騙される方が悪いんだよ
はっ
キョーコ的蓮イメージ→
ぬうう…っ
すごい言《い》われそう……!!
お…う
…？
これは…っもう
ノーコメントを決《き》めこもう!!
ばれないために!!
この人《ひと》と口《くち》きくとろくな事《こと》がない!!
だまされるし!! バカにされるし!!
くるっ
さてっ私《わたし》もそろそろ着《き》がえて帰《かえ》ろ〜〜っと♡
あ 椹《さわら》さん
ん？
お疲《つか》れ様《さま》でした!!
あ…ああ ……お疲《つか》れ
ーーー…
…図星《ずぼし》…か。
ガン…
ピキッッッ
びたっ

キッ
『アイツに騙《だま》されたなんて言《い》ってないわ!!』って言《い》いたそうだね
でもこの業界《ぎょうかい》じゃ例《たと》え真実《しんじつ》を言《い》い当《あ》てられたとしても「違《ちが》います」と口《くち》に出《だ》して言《い》い通《とお》さないと
都合《つごう》の悪《わる》い事《こと》は都合《つごう》の悪《わる》い方《かた》へとことん解釈《かいしゃく》されて広《ひろ》められるんだよ
君《きみ》も芸能界《げいのうかい》へ入《はい》りたいなら
そのくらいの事《こと》は他人《ヒト》に言《い》われる前《まえ》に対応《たいおう》できないと
ま…
――…ダ…
ダメだわ!! 敦賀蓮《このひと》は!!
それもデビューできなきゃ覚《おぼ》えても無駄《むだ》だけどね
黙《だま》っていてもろくな事《こと》がない!!
図星は指すわ!! イヤミは言うわ!!
――もう…!!
…

も――う!!
私《わたし》!!!
敦賀蓮《このひと》には
半径《はんけい》5m以内《いない》絶対《ぜったい》
近《ちか》づかないわ!!
断固決意!!
――蓮《れん》
お待《ま》たせ
カツ
コツ
悪《わる》かったね
つき合《あ》わせて
しまって
…――…
蓮《れん》?
!
…ああ…
お帰り
…どうか
した?
ぼんやり
して

…や……
まあ…
ちょっとね…
バッバッバッバッバッ
やり逃げ
―――!…
むくくくくく
スポアンッ
…ずいぶんと……
人《ひと》が変《か》わったな…
…と思《おも》って
あんな下品《げひん》な事《こと》誰《だれ》に教《おそ》わったんだ……
アイツか…?
…?
なんの話《はなし》?
…いや…

…ありがとう…
大事《だいじ》にするね――…
ふ
――…それでも…
俺《おれ》ほどは

変《か》わってないのかもな――……
いちり
にり
しちり
いちにちに ぎりぎり
しちり いった
きみじしん
いんぎんに
いちいちに いいに
いきなさい
さわやかなあさ あたたかなあさだ はながさいた
まっかなばらが ぱっとさいた はなやかなはなだ
あやしみを あやしむべきを あやしまず あやしからぬを あやしむあやし

はい「オ」
パンッ
このおとこのほんとうのこころをとこうとおもうのよ
そのおとこを
殺《ころ》そうと思《おも》うの…!!
ぬ゛ん゛
はい次っ
パンッ
ほのぼのとこころよいこより
はぁうん…
何度《なんど》口《くち》にしても心《こころ》に染《し》み入《い》るわこの発声例題文《はっせいれいだいぶん》……
じん…
キョーコ達とは別クラスの人達
私《わたし》この例文《れいぶん》が一番《いちばん》好《す》きなのよね!!
えへ♡
心の底…じゃない お腹の底から唱えるでしょ? 気持ち良くって!!
だから お稽古後は いつもスッキリ✧

ねェ
モー子《こ》さんはどれが好《す》き?
つんっ
スタスタ
スタスタ
……
モー子《こ》さ〜〜〜ん…
…モー子《こ》さん…まだ怒《おこ》ってる……
…なんでだろう…
私《わたし》
なんか気《き》にさわる事《こと》したかなあ〜〜〜…
覚えがないなあ……
私達コンビなのにこんなのつまんないな……
スタスタスタスタ
ポト
ポト
——それにしたってちょっと長《なが》いよね〜〜〜…
マリアちゃんが養成所《ようせいじょ》で問題《もんだい》起《お》こしたあの日《ひ》からだから…
え〜〜〜と…かれこれ何週間《なんしゅうかん》……?
ひーふーみーよー
ウィ〜〜〜ン…
チーン☆
エレベーター

ガ"
…ん？
…え…？
ちまま…
ぶつぶつ
ぶっせつまかはんにゃはらみた
念仏
…なに……？
…あ…
は…
…そうだった…
私《わたし》の様《よう》な名《な》も無《な》き新人《しんじん》と名《な》の売《う》れた芸能人《スター》とじゃ使《つか》うエレベーターが違《ちが》うんだった…
…ふう…
あれ以来《いらい》——…
どっかで敦賀蓮《あのひと》と遭遇《そうぐう》するんじゃないかと思《おも》うと…
反射的に般若心経を唱えてしまう今日この頃……
だって敦賀蓮《あのひと》
わかっててもやっぱり身体《からだ》が反応《はんのう》しちゃうや
次《つぎ》に会《あ》ったその時《とき》はどんな報復《ほうふく》を見舞《みま》って来《く》るか想像《そうぞう》を絶《ぜっ》するんだもの…
今更《いまさら》だけど…やらなきゃ良《よ》かった…
ショータロー仕込みの
クソッタレ!!
なんて!!

でも口《クチ》じゃ絶対《ぜったい》勝《か》てないからぁあ
ううう〜〜!!
どうしても何《なに》かやってやりたかったのよぉう〜〜〜〜!!
しくしく
――…君《きみ》
京都《きょうと》に住《す》んでた――…？
…は…
…そういえば
結局《けっきょく》どうして知《し》ってたのかわからなかったな――…
…
俳優《はいゆう》部門《ぶもん》の主任《しゅにん》さんにでも聞《き》いたのかも…
それが一番強い線ねェ
ふむ…
てくてく
あっ 最上《もがみ》さんっ
あ
椹《さわら》さんっ
ようっ
ペコリ
養成所《ようせいじょ》の帰《かえ》り？
あっ はい
どう調子《ちょうし》は
う〜〜ん…
専《もっぱ》ら基礎《きそ》ばっかりなので今《いま》はまだ何《なん》とも
そうか
そりゃしょうがないな〜

コーン

キョーコが秘密の宝物にしている石ですがこれはただの石ではなくカットして研磨すれば宝石にもなる菫青石《きんせいせき》その名の通り紫味を帯びた青い色をしていて別名ウォーター・サファイア

と呼ばれる石です。この石は青色なのですが90度程方向を変えると青色はなくなり黄緑色になるという神秘(?)な石とのこと。ところがこれが宝石として加工される際には青く見える方向が正面に向くよう研磨され黄緑色に見える方向は枠の金属でさえぎって見えない様セットされるとか……
なんだか惜しい気もしますが宝石の価値としてはきっとその方が良いのでしょうね――…

参考＝楽しい鉱物図鑑より

それじゃあ 琴南《ことなみ》さんなんかも まだ今《いま》は稽古《けいこ》つまらなそうだろう
あの子なら基礎なんかどっかで習った後そうだもんなぁ
…いえ …？
それはそれは真剣《しんけん》に取《と》り組《く》んでますケド……
あえいうえおあ
ジャキジャキ
ハキハキ
まるで素人の私と同じレベルに…
そうかぁ
慣《な》れた基礎《きそ》こそ手《て》を抜《ぬ》かない!!
えらいなっ
さすが女優志望《じょゆうしぼう》!!
ですよねェ
やっぱり
モー子《こ》さんは私《わたし》とは違《ちが》うはずだもの
何《なに》もかもが初《はじ》めてで毎回《まいかい》のトレーニングを必死《ひっし》にこなしてる私《わたし》と
モー子《こ》さんが同《おな》じに見《み》える時《とき》があるなんて私《わたし》の気《き》のせいに違《ちが》いない
ポンッ
…あ…
そうだ…っ

〈参考〉楽しい鉱物図鑑（草思社）

んー…
んーいや…
でもな…
?
…まあ…
いいか
にっこぉ
にゃ
勉強《べんきょう》には なるだろう しな…
…は?
!!?
にこ にこ にこ
びくっ
最上《もがみ》さん
…え…!?
今日《きょう》 これから 何《なに》も予定《よてい》がなかったらさ
うっ
な…無いわっ 今日だるまや臨時 休業なんだもの…
でもダメよっ
それは言っては いけない気が する……
何故《なぜ》かしら…
君《きみ》さ
ちょこっと
テレビの仕事《しごと》
してみない?
こきゅっ こきゅっ
こきゅっ こきゅ

ごっきゅ ごっきゅ ごっきゅ
バタバタバタバタ
ニュース!!ニュース!!大《だい》ニュースよ!!
奏江《かなえ》───!!
死語
バーーーンッ
ドブジュー
───…っ
奏江…る 今っ奏江っった…!? ナレナレしく…!!
ギョロ
ボタスタ
…あ…
あの子《こ》一人《ひとり》だけ不破君《ふわくん》にキョーコって呼《よ》びすてされてるんだよ!!
チョームカつくー!!
ね──!!
あの子《こ》と口《くち》きいた子《こ》一生《いっしょう》シカトだよ!!
暗黒の
クツかくされた
クスクス
小学時代
あの子《こ》 尚《しょう》の家《いえ》から登下校《とうげこう》してるんだってっ
えーー!!
なにそれ!! 一緒《いっしょ》に住《す》んでるの──!?
チョームカつくー!!
あいつと口《くち》きいたヤツ!! リンチだよ!!
惨劇の
机捨てられた
クスクスクス
中学時代
ごめんなさい…
私《わたし》こういうの一度《いちど》やってみたかったの
てれ
だってね

…私《わたし》……
今《いま》まで女《おんな》の子《こ》の
友達《ともだち》……
ひゅうう～～…
いなかったの
———……
アイツの
せいで……!!
どろろろろ…
…そうだわ……
たしか他にも……
あんなこ～と～
こんな～こ～と～
あ～った
でしょ～～
スル～～り
あああ～
ちくしょ～
なんで私が
あんな目に～
スルル～～ん
ヒョ～～
どんどん湧き
出《い》ずる暗い過去達
ひ～っ
こ～
この澱《よど》んだ空気～!!
くら
来《く》る!?
金縛りが
…そ…っ
それで!!
大《だい》ニュースって
何《なん》なのよ!!
くわっ
ひゅるる
ひゅこ～
しゅこぽんっ
あ
引《ひ》っこんだ…
不気味な空気
ほっ
…
モー子《こ》さん…

久しぶりに口きいてくれた～～!!
うれしい――!! コンビ復活ね――!!
きゃあああ
はあっ しまった!! ついうっかり!! 恐怖にかられて!!
テレビ局
ザワ
ザワ
ザワ
タイムキーパー ちょっとっ ここの変更の事だけどっ
バタ
バタ
おいカンペッ 最後までちゃんとそろってるなーっ
アワ アワ
――……で……
あんたの言《い》う大《だい》ニュースって
これの事《こと》
わ――っっ
パチ
パチ
パチ
パチ
パチ
パチ
ハイ!!
それでは皆《みな》さ――ん 手《て》をこう回《まわ》したら拍手《はくしゅ》くださ――い
観客
別名 サクラ
(もり上げ役とも)
でも一応《いちおう》テレビのお仕事《しごと》じゃない?
テレビ番組の勉強にもなるし!!
椹談

それにほらっ こういうのが キッカケでデビュー したりという事《こと》も!!
第一回目《だいいっかいめ》の バラエティ番組《ばんぐみ》の 観客《サクラ》にどんな キッカケがあるって のよ!!
ふんっ
それも
『客《きゃく》』として 目立《めだ》てるんなら いざ知《し》らず
私達《わたしたち》って本当《ほんとう》に 必要《ひつよう》だったわけ!?
ぎっしり
ザワ
ザワ
ザワ
どよ どよ
…確《たし》かに…
…う〜〜〜ん…
それは…
椹《さわら》さん…何《なん》で 私達《わたしたち》よこしたん だろ……
観客《かんきゃく》なら 十分《じゅうぶん》足《た》りてる 気《き》がするん だけど…
キャア キャア
どよ どよ
それにこの人達って 本当に用意された 観客《サクラ》…?…にしては すごく落ちつきがない ような……
ちょっ とっ
失礼《しつれい》 ちょっと そこの 君達《きみたち》っ
ん？
椹主任《さわらしゅにん》に 聞《き》いたんだけど
LMEから 番組見学《ばんぐみけんがく》に 来《き》てる子《こ》って 君達《きみたち》!?
サクラ兼ねて
…はぁ…
…そうです けど…
…誰？

僕《ぼく》
ブリッジ・ロックのマネージャーです
株式会社 LME芸能プロダクション タレント部門
豊川 浩次郎
それは
ブリッジ・ロック
LMEが誇《ほこ》る人気《にんき》マルチタレントユニット
———でね
この第一回目《だいいっかいめ》は生《なま》って暴挙《ぼうきょ》でしょ？
ブリッジ・ロックも初《はじ》めて任《まか》された番組《ばんぐみ》で緊張《きんちょう》してる上《うえ》に
君《きみ》たちに頼《たの》みたい仕事《しごと》は今《いま》説明《せつめい》した通《とお》りなんだけど…
なのにこの土壇場《どたんば》で急《きゅう》にでられなくなったのが番組《ばんぐみ》のレギュラーで
ちょっとしたショートコーナー持《も》ってるヤツで困《こま》ってて
…わかりました。
その仕事《しごと》
お受《う》けします
!!

モー子《こ》さん!?
出《で》てくれるのかい…!?
おまかせ下《くだ》さい
得意分野《とくいぶんや》です
モー子《こ》さんっ本気《ほんき》!?
それに何《なに》より
視聴者《しちょうしゃ》に…
いいえ この世《よ》の人々《ひとびと》に限《かぎ》りなく愛《あい》される仕事《しごと》をこなす事《こと》をモットーとされています
私達《わたくしたち》は
LMEが配《はい》する
ラブミー部員《ぶいん》ですので

おおおおおぉ〜〜〜!!
なんて頼《たの》もしい〜〜〜!!
さすが社長が見込んだ人材!!
…モー子《こ》さん……
…当然《とうぜん》ですわ
それじゃあ 早速《さっそく》準備《じゅんび》してもらおうか!!
こっちだ!!
わかりましたっ
ザッ
モー子《こ》さん!!
スゴイわ!! さすがだわ!!
ドキドキッ
いきなり決《き》まった生番組《なまばんぐみ》デビューの上《うえ》に
モー子《こ》さんならきっとこんな役初《やくはじ》めてに違《ちが》いないのに!!
あんなに落ちついて
格好いい!!
今回《こんかい》うまくやるとひょっとして君《きみ》
今後《こんご》この番組《ばんぐみ》のレギュラー決《き》まるかもしれないぞ——!!
きゃあああああ!!

……
あ…?
急いでーっ
あと3分よーっ
ぐいッ
ぐいッ
せか
せか
…でっぷり…

……
…あれ……？
どうしてこうなるの——!?
依頼《いらい》受《う》けたのモー子《こ》さんじゃな〜〜〜い!!
……
何《なに》言《い》ってるの？
私《わたし》は女優《じょゆう》よっそんな仕事《しごと》するわけないじゃないっ
あんた得意分野でしょ!? タレント志望なんだからっ
そっそんな!!
だったら初《はじ》めからモー子《こ》さんが受《う》けるなんて言わなきゃいいじゃない!!
ヒドーイ
いや〜ウチはもうどっちでもいいんでとりあえず出番を……
あ〜ら
だったらあんた自分《じぶん》のその口《くち》でこの仕事《しごと》受《う》けるって言《い》った？
そ…っそれは…!!
ほ〜〜〜うらごらんなさいよ!!
だっだって!! 生《なま》なんだもの!! 失敗《しっぱい》できないもの!! 私《わたし》 モー子《こ》さんみたいに15秒《びょう》で台本《だいほん》なんか見切《みき》れないもの——!!
あっきた 早く
おい坊《ぼう》——っ 坊《ぼう》スタンバイ——!!
どうやらニワトリの名前
バサッ
大丈夫《だいじょうぶ》よっセリフなんか無《な》いってあんたも聞《き》いたでしょっ
あんたの仕事《しごと》は番組《ばんぐみ》アシスタントとゲストのホスト
と、プチコーナー

誰《だれ》かにセリフ振《ふ》られたら愛《あい》らしいジェスチャーで応《こた》えればいいの――っ
そんなぁ〜〜〜!!
こんな格好で〜〜!!
ドタ ドタ ドタ ドタ ドタ ドタ
バサバサ バサッ
愛《あい》らしいジェスチャーってどんなのよぉ〜〜〜!!
ひどい!! こんなのひどすぎるわ!!
モー子《こ》さんのバカ〜〜〜!!
カチン
ON AIR
わあああ
きゃあああ
恨《うら》んじゃうからああ〜〜〜!!

ふんっ
私《わたし》はね
敵《ライバル》と馴《な》れ合《あ》うなんて
まっぴらなのよ…っ
これで――…
あんたも私《わたし》になつかないでしょ!!
みなさんこんばんは――!!
ついにスタートしました――っ『やっぱきまぐれロック』
キャー
キャー
キャー
キャー
キャー
キャー
キャー
キャー
いやーっ初《はじ》めて僕《ぼく》らメインで進行《しんこう》させてもらうという事《こと》で多少緊張《たしょうきんちょう》してますが――
キャーキャー
…す…
ぼーー…
すごいわ――…
キャーキャー
……観客《かんきゃく》みんな同《おな》じに見《み》えるわ
……
鳥目のせいかしら
何《なに》を叫《さけ》んでるのかもさっぱりわからないわ
鳥耳のせい?
私《わたし》ったら
身《み》も心《こころ》もニワトリに…!?
スゴイわ!私ったらまるでベテラン俳優――…
ひょっとして自分《じぶん》でも知《し》らぬ間《ま》に
ミスウー…
――それでは今夜記念すべき第一回目に相応しいスペシャルゲストー
みんなーっ喜べーっ

不《ふ》破《わ》
カッ
覚醒
尚《しょう》おおお

だぁ──!!
フイ…
サラ…
ババババババ
尚 LOVE
SHO
LOVE
CRAZY FOR YOU
LOVE
尚 I LOVE YOU
真性信者《しんせいしんじゃ》

ACT.20 呪われた夜／おわり

スキップ・ビート!
ACT.21 ここで会《あ》ったが百年《ひゃくねん》目《め》

――お
始《はじ》まったか?
ブリッジの新番組《しんばんぐみ》
どうだ? 調子《ちょうし》は
いや〜〜…
これがですねェ…
一回目《いっかいめ》だしはっきり言《い》って一般客《いっぱんきゃく》の入《い》りはあんまり期待《きたい》してなかったんですが…
予想外《よそうがい》に不破《ふわ》のファンが入《はい》っちゃったみたいで
キャー
キャー
キャー
キャー
まるでライブ会場《かいじょう》ですよ…
恐るべし不破信者っ
これじゃあ この番組《ばんぐみ》ブリッジと不破《ふわ》どっちが主役《しゅやく》かわからないですね
キャ キャ
――…
キャ キャー
ああ〜…
痛々《いたいた》しいですね〜〜〜…
せめて第一回目《だいいっかいめ》のゲストが不破《ふわ》じゃなきゃなぁ〜〜…
負けるなーブリッジ〜〜ッ
……
コソ コソ…
しょうがないよ

スポンサーが不破贔屓《ふわびいき》なんだから……
自分とこのCMでも不破使ってるしさ
〜〜〜……
…ああ……
すまん…ブリッジ…おれはお前達《まえたち》を追《お》いこむ要員《よういん》を一人《ひとり》送《おく》り込《こ》んでしまった…
いや…決して……そんなつもりじゃなかったんだが……
客がいる分にはブリッジもウキウキでファンがいる分には不破もスポンサーもホクホクで生《なま》不破が見れる最上さんもドキドキで一石三鳥かなと思って……
椹主任どうかしたんですか？
俺《おれ》は不破信者《ふわしんじゃ》をあなどりすぎていた様《よう》だ…
キャー キャキャー キャー
がんばれブリッジー
負けるなブリッジー
そんな連中黙らせろ——!!
番組の進行妨害だっ
不破信者ほーり出せ!!
——…
——…最上《もがみ》さん…
…無理《むり》な話《はなし》か…
ブリッジの応援《おうえん》してくれとは言《い》わないけど
せめて
正規《せいき》の観客《サクラ》に徹《てっ》してくれないかなぁ——…
俺《おれ》だって元々《もともと》あの子《こ》が喜《よろこ》ぶと思《おも》って話《はなし》ふったわけだし
そりゃ〜〜〜あの子《こ》も
今頃《いまごろ》 他《ほか》の不破信者《ふわしんじゃ》と同《おな》じ様《よう》に激《はげ》しく

狂喜《きょうき》してるに違《ちが》いない――……
ゴオオオオオオオオオオ
これは
千載一遇《せんざいいちぐう》のチャンスだわ――……
うおっ
な…なんだ
なんだ!!
始《はじ》めアイツが出《で》て来《き》た時《とき》は
こんな姿《すがた》の自分《じぶん》を アイツにさらすなんて
死《し》んだ方《ほう》がマシだと思《おも》ったけれど…
ブゴオオオオ
狂気乱舞
ホホホホホ
狂気
ビュビュンッ
ふっ ふっ ふっ ふっ ふっ ふっ
ビュンッ
ビュンッ
なにやら坊のまわりに異様な空気が渦まいてるぞ!!
まるで心霊スポットにいるかの様な悪寒が!!
よく考《かんが》えてみれば…!!
ケロケロケロケロ
くすくすくす
狂気
狂気

このズングリムックリな鳥皮《とりかわ》を被《かぶ》っている限《かぎ》り
ククククク
決《けっ》して中身《なかみ》が
私《わたし》だとは
バレないわけよ!!
クククク…
アイツにはね——!!
不破君《ふわくん》はデビューのキッカケってどんなんでした?
わりと普通《ふつう》ですよ
事務所《じむしょ》にデモテープ送《おく》って聴《き》いてもらって…
それはすなわち!!

この機《き》に乗《じょう》じて少《すく》なからず怨《うら》みが晴《は》らせるというもの——!!
うふふ
まずはどうしてやろうかしら…ああ…っやりたい事《こと》が多《おお》すぎて決《き》められないわ…!!
メラメラ
ウズウズ
やっぱり一番《いちばん》てっとり早《ばや》くスッキリするのはいきなり何《なに》かで殴《なぐ》りつける手《て》だけれど
『きまぐれロック』用 備品
それはやっぱり後々《のちのち》の身《み》のためにもならないから考《かんが》えものね
ガラン
ガラン
と言いつつ一応物色してみる
…ん?
ちら
…あ…っ
バドミントンのラケットだぁ〜〜〜…
わぁ…なつかし〜〜
そういえば子供《こども》の頃《ころ》
ショータローとも
これでよく遊《あそ》んだ時期《じき》があったな——…

他《ほか》のスポーツでは
全部《ぜんぶ》アイツに
負《ま》けるけど
これだけは
唯一《ゆいいつ》
私《わたし》がアイツに
教《おし》えてあげられる
スポーツだったのよ
———…
いっくよー—
ショーちゃーん♡
ミふふミ
今《いま》
思《おも》えば
あの頃《ころ》の
アイツったら…
やっぱり短気《たんき》で
我《わ》がままで
自信過剰《じしんかじょう》で
格好《かっこ》つけだったわ
……!!
そうよ!!
思《おも》い出《だ》した!!
たかが遊《あそ》びだというのに
あいつときたら 自分《じぶん》の
失敗《しっぱい》をいつも私《わたし》のせいに
して……!!
どわっ
なんの変哲もないバドミントン
からも恐ろしいエピソードが―▶
…お…
おい
坊《ぼう》
!
こ…これブリッジに
渡《わた》して来《こ》い
ミなミなんか
顔つきが違って見える
のは気のせいかミつ?
タマゴ
カプセル
…
…それは?

この卵《たまご》の中《なか》に ゲストへの 質問《しつもん》とか リクエストとか 次《つぎ》 どのコーナーに 行《い》くか入《はい》ってて こいつを開《あ》けて進行《しんこう》 していくんだ
へぇ~~~っ
は…
ふ…
…それ… 面白《おもしろ》そう———…
にやり
悪党笑い
……
え~~~~~…
本当《ほんとう》に意外《いがい》な デビュー秘話《ひわ》~~~~
いや ほんまに
デビューで いきなり オリコン一位《いちい》 やし~~~
俺《おれ》スカウトかと 思《おも》ってましたぁ~
お~~い!! 進行《しんこう》の ネタマゴが まだ来《こ》ね~ ぞ~~~!!
ネタタマゴ
何《なに》やってんだ!? 坊《ぼう》~~~!!
あ!!
ぷきゅ ぷきゅ ぷきゅ ぷきゅ ぷきゅ
足音
出《で》て 来《き》た!!
あ
そういや 不破君《ふわくん》は これがデビュー後《ご》 初《はつ》のバラエティって 事《こと》やけど
ええ
見《み》たりは?
ぷきゅ ぷきゅ ぷきゅ ぷきゅ
ニヤ…
……全然《ぜんぜん》
俺《おれ》

あんまテレビとか
見《み》ないんで……
う…っとり…
そうよっ
そうでしょう!?
尚はミュージック界の新しいカリスマなのよ
バラエティなんか見るわけないじゃない!!
バカじゃねエら。
ブリッヂロック!!
バラエティ見る尚なんて尚じゃないわ!!
…この男《おとこ》は…
性懲《しょうこ》りもなく
また『格好《かっこ》いい男《おとこ》』を
演出《えんしゅつ》しようとしてる
わね
何《なに》がバラエティ
見《み》た事《こと》無《な》いよ!!
私《わたし》がバイトから帰《かえ》ったら
ビデオに撮《と》ってまで
バラエティ見《み》てたのは
どこの誰《だれ》!!
ゲラゲラゲラゲラ
けひゃひゃひゃひゃっ
ここっここ何度見ても
面白《おもしれ》え～～!!
ジタバタ
…尚《しょう》ちゃん…
まだ笑《わら》え
るんだ…
うふふ……
当時の私でも
ちょっと異常と思う程
こよなく笑いを愛してるクセに!!
ふん…っ
みてなさい…
あんたが一生懸命《いっしょうけんめい》
世間《せけん》に植《う》え込《こ》んで
来《き》た『不破《ふわ》 尚《しょう》』の
そのイメージ
私《わたし》がスッカリ
変《か》えて
あげる!!
くすっ…
すまして
られるのも
今のうちよ

これはね
ぷきゅーーっ
あんたの順風満帆《じゅんぷうまんぱん》の芸能生活《げいのうせいかつ》にピリオドを打《う》つ
くすくすくすくす
ぷきゅーーっ
くすくすくす
あ〜はははははは
ぷきゅーーっ
破滅《はめつ》の足音《あしおと》なんだから!!
ぷきゅーーーっ
ぱかっ
あ
これは客席《きゃくせき》からの不破君《ふわくん》への質問《しつもん》ですね〜〜
次からは視聴者からの質問も受けつけますんでー
カサカサ
それではいきまーす
いざ…!! 破滅《はめつ》の道《みち》へ…!!

風《かぜ》の頼《たよ》りで聞《き》いたのですが
不破君《ふわくん》の
本名《ほんみょう》はとてもユニークだそうですね
カーッ
ニヤリ
とても気《き》になるので
…な…っ
是非《ぜひ》教《おし》えて下《くだ》さい
なんでそんな極秘情報《ごくひじょうほう》が!!
事務所《じむしょ》の個人《パーソナル》データに入力《にゅうりょく》さえ させていないのに……!!
アカトキ社長容認で
どこから漏《も》れた……!!

一体《いったい》どこのどいつが!!
実家の人間か!? ハっ
ムっムっムっ
さあ…!!
ショータロー!!
これがあんたが他人《ヒト》にふれてほしくない話題《わだい》第一弾《だいいちだん》よ!!
今《いま》ここでっあんたのその口《くち》であんたのファンのあんたのイメージを木《こ》っ端《ば》微塵《みじん》にするがいいわ!
ザワ ザワ ザワ ザワ
尚の本名って？
ユニークって…
イヤだわなんだか聞きたいような聞きたくないような…
あんたの本名《ほんみょう》は不破《ふわ》ショータロー
不《ふ》破《わ》 松《しょう》太《た》郎《ろう》だってね!!!
どんなに格好つけても あんたはしょせん松《まつ》で太《た》郎《ろう》なのよ!!
ぶっふーーっ
カッコ悪っ～～い!!

ぷふぉコココココココ
――――!!
…悪《わる》いけど……
それは言《い》えない……
コ…？
なぜなら
芸能業界《このぎょうかい》で生《い》きて行《い》く代償《だいしょう》に
俺《おれ》は過去《かこ》を捨《す》てた男《おとこ》だから…
もし俺《おれ》がいつかどこかで
昔《むかし》の名前《なまえ》を口《くち》にする時《とき》があるとすれば…
それは…
芸能界《げいのうかい》と
『不破尚《ふわしょう》』を

やめたくなった時《とき》だ———…
か
ぱ
きゃあああああ
…う〜〜む…
し
尚おおおー!!
もー格好いい〜〜!!
ちょー格好いい〜〜!!
バリ格好いい〜〜!!
キャーキャー
…ますます もり上《あ》がる 不破信者《ふわしんじゃ》…
ウェ〜ブやってるぞおい
いやぁぁぁっ 過去なんか どうでもいいわ!! 頼まれたって 聞かないから やめないでー!!
キャーキャー
…そういや 不破《ふわ》についての話《はなし》 ちらっと流《なが》れてきた 事《こと》あったなぁ
不破《ふわ》の親《おや》が 芸能界《げいのうかい》に猛反対《もうはんたい》で
中学《ちゅうがく》出《で》て逃《に》げる様《よう》に 東京《とうきょう》に出《で》て来《き》てたから デビューが決《き》まった時《とき》には 親《おや》に勘当《かんどう》たたき つけられたって
それをアカトキの社長が奪う様に…
ちら ちら
へえ〜〜〜
意外《いがい》と苦労《くろう》 してたんだな
じゃあ
過去《かこ》を捨《す》てたって 本当《ほんとう》なんだ
俺《おれ》ちょっと不破《ふわ》の 好感度《こうかんど》上《あ》がった かも
キャーキャーキャーキャー

バカ者《もの》っ
スカッ
いたっ
不破《ふわ》に好感《こうかん》
持《も》つのは勝手《かって》
だが 今《いま》は
ブリッジを応援《おうえん》
してやれよ!!
…ってお前《まえ》が
えらそーに 他人《たにん》を
責《せ》められる
立場《たちば》か~~!!
…す…すいま
せん…
わかりました
から主任《しゅにん》
なにもそんなに
落ち込まなくても…
お…おおぉぉ…
も~~
主任《しゅにん》は~~~
キャー
キャー
キャー
キャー
キャー
…ひゅう~~…
やれやれ
本当《ほんとう》に
ＬＭＥ《みうち》思《おも》いなん
だから~~~
キャー
キャー
キャー
キャー
……
我《われ》ながら
うまくきり抜《ぬ》けたぜ
どころか何《なに》？
俺《おれ》の格好《かっこ》良《よ》さ
倍増《ばいぞう》？
ふふ…
いい気分
どこのどいつか
知《し》らねーけどよ

俺《おれ》のイメージをアップさせてくれて礼《れい》を言《い》うぜ
わなわな
わなわな
…お…
お〜〜〜の〜〜〜れ〜〜〜
ショ〜タロ〜〜〜〜〜〜!!
次《つぎ》の手《て》よ———!!
ぱかっ
風《かぜ》の便《たよ》りで聞《き》いたのですが
また風《かぜ》の便《たよ》りかよ!!
同じ奴じゃねーのかっコラ!!
ハァハァ
不破君《ふわくん》は中学時代《ちゅうがくじだい》バドミントン部《ぶ》に入《はい》っていたそうですね
入《はい》ってね———!!
俺《おれ》はあんな力《ちから》まかせに打《う》ち放《はな》っても球《たま》がまともに飛《と》びやがらねーひねくれたスポーツ大嫌《だいきら》いなんだよ!!
羽根《シャトル》
ラケット
この部分にうまくラケットを当てないと勢いよく飛びません
ヘッポコ
幼少時代

ブリッジ・ロック

石橋 慎一《シンイチ》(18)

リーダー
石橋 光《ヒカル》(20)

石橋 雄生《ユウセイ》(18)

ブリッジ・ロックという
ユニット名は彼等の
名前を見た通り…。
石 橋
(ロック) (ブリッジ)
ひっくり返してブリッジ
ロック…(苦笑)
ものすごい安直……
ちなみに彼等は姓
は同じですが決して
兄弟ではございま
せん……。

ぬおおおお
だっ誰《だれ》だ!!
そんな俺《おれ》の秘密《ひみつ》の
ウィークポイントを
狙《ねら》ったように〜〜〜!!
ザワ ザワ ザワ ザワ
尚が…!?
バドミントン部ですって!?
ウッソ〜
ちょっと意外ねェ…
うおおおおっ
俺《おれ》の
クールで
魅惑的《みわくてき》な
イメージが!!
好きでもねー
バドミントンなんぞの
ために汗くさく
庶民的なものに!!
腕前《うでまえ》が見《み》たい
です…か
でもこれは
ラケットとか
なきゃね〜〜
こんなネタ
打ち合わせに
なかっただろ
用意してねーよ
よーし!!
無《な》けりゃ
実行不可能《じっこうふかのう》!!
こんなハプニングも生の
魅力!! ブラボー生番!!
すいっ

こ…つこんのニワトリ野郎《やろお》お〜〜〜〜!!
俺《おれ》になんか恨《うら》みでもあんのか〜〜!!
わなわな
グツ グツ
なんだ坊が相手したいのか?
コクリ
あ えーと…
そうそう
カサ
言《い》い忘《わす》れてたけど負《ま》けた方《ほう》はバツゲームで
三回《さんかい》まわって獣《けもの》の体勢《たいせい》で悲《かな》しげにアウ〜ンと鳴《な》く〜〜〜
だって〜
←遠吠え
どよ…っ
ああ〜…っうち合わせにない事がどんどん進行して行く…っ誰か助けて〜〜〜
ま…負《ま》けたらアウ〜〜ンですって…?
どよどよ…
3回まわって…?
…尚が…?
獣の体勢で…?
これまでのバドミントン勝負《しょうぶ》ショータロー通算《つうさん》0勝《しょう》36敗《はい》
……っ
キョーコ36勝《しょう》0敗《はい》
ふふん…っ
これは全国《ぜんこく》ネットの生《なま》番組《ばんぐみ》…
聞《き》こえるわ!!ショータロー!!
スウ…ッ
今夜《こんや》あんたの情《なさ》けない鳴《な》き声《ごえ》が

日本中《にほんじゅう》にこだまするのがね――!!
とう!!
豪速
…冗談《じょうだん》じゃ…
ミキュミッ
ね――!!
鳴かされてたまるか――!!

ビュミッ
な…!!
まともに返《かえ》した!!
ふんっ
ほへっ
あ〜んっ おし〜いっ もうちょっとだよ ヨーちゃ〜んっ
へろへろ
ショータローのくせに!!
生意気《なまいき》な——!!
ぷきゅきゅきゅきゅきゅきゅきゅきゅきゅ
コケーーッ
バッ
うおーっ すげーっ 追いついたぞっ あの足でー!!

スパーンッ
おおおおお
きゃあああ
――――……
…あの子《こ》…
尚おおガンバって〜
キャー
キャー
スパーンッ
出《で》る前《まえ》は
あんなにうろたえ
てたクセに…
ずいぶんいい動きを
するじゃない
このままじゃ
うっかりこの仕事《しごと》
レギュラー取《と》るん
じゃ……
きゃあああああ
おおおおおお
スパーンッ
スパーンッ
冗談《じょうだん》でしょ？
そんなおいしい思《おも》いを
させるために
あの子《こ》にニワトリ
やらせた訳《わけ》じゃ
ないのに
…あの子《こ》って
……
ますます
油断《ゆだん》ならないわ
――……!!
本当《ほんとう》に転《ころ》んでも
ただじゃ起《お》きない
わね――……
まったく
……
…な……
なんて事《こと》
かしら……!!
スパーンッ
バドミントンする
尚《しょう》なんて
庶民臭《しょみんくさ》くて
ちょっと嫌《いや》かも
とか思《おも》っていたのに
――…
スパーンッ

ダンッ
イス
バッ
キュラ
キュラ
キュラ
キュラ
はっ

スパーンッ!!
きゃあはあああああ〜〜〜!!
さわやかな尚も素敵〜〜
しなやかにしなる手足が蝶の様だわ!!
光る汗が美しいわ!!
眉間のシワがHくさいわ〜〜〜!!
キャーキャー
キャーキャー
尚♡LOVE
尚
LOVE YOU
SHO
きゃーきゃー
!!
それもこれもあんたがきまぐれに打《う》ち返《かえ》したりするからよ——!!
キ〜〜ッ
ムカつく——!!
昔は全然打てなかったクセに——!!
はぁはぁ
…な…!!
ちょっと!!
ショータローのファンが益々《ますます》喜《よろこ》んでるじゃない!!
ヘッポコ球《だま》しか打《う》てないショータロー見《み》せてゲンメツさせようとしてたのに!!
も〜〜〜!!
こうなったら奥《おく》の手《て》よ〜〜〜!!

あんたの一番嫌《いちばんきら》いな
この技《わざ》で…!!
スッ
キュキュキュー
くるんっ
…
ピク…ッ
とどめ……
よ…!!
スパ

…ぐぁっ まぶし!!
コーンッ
キョーコー!! お前《まえ》ー!! その打《う》ち上《あ》げる技《わざ》出《だ》すなって言《い》ってるだろ――!!
太陽がまぶしくて一瞬どこ行ったかわかんないじゃんかよ!!
え〜〜ッ
だってショーちゃんが難《むずか》しい球《たま》打《う》って来《こ》いって言《い》ったんじゃな〜〜〜い
手抜いても怒るくせにィどっちなの〜?

ショーちゃんに言《い》われたからあみ出《だ》した必殺技《ひっさつわざ》なんだよ〜〜〜〜〜!!
――はい
はっ!!
!!
そこまで勝負《しょうぶ》あった――!!
し…っしまつた!!
俺とした事がっ一瞬トリップしてしまった!!
この勝負《しょうぶ》
坊《ぼう》の負《ま》け――っ
あははははは
ガックウ‥‥
…え…?
あれ…?
アホやなぁ〜〜〜もうあんな高《たこ》ぉ打《う》ち上《あ》げたら天井《てんじょう》にひっかかんのあたり前《まえ》やん
ここスタジオやで〜
ここ
ラ…ライトがまぶし…!!
まぶしい…?
…それを狙《ねら》って打《う》ち上《あ》げた……?
ライトの光《ひかり》を目《め》くらましに羽根《シャトル》を消《け》すつもりで
…まさか――…

…いや…
…でも…
そう考《かんが》えると…
そんじゃあ 坊《ぼう》には 番組《ばんぐみ》の終《お》わりに 鳴《な》いてもらう からな〜〜
なっなんで私があ〜〜!!
ワナワナ
どうしてもっとバカ高い天井にしないのよ〜〜!! このスタジオの設計士が憎い〜〜!!
納得《なっとく》がいく——…
俺《おれ》の本名《ほんみょう》は
はいっ
今
CM入りましたー
よっ よしっ
たすかった!!
俺《おれ》の古巣《ふるす》の 親《した》しい 人間《にんげん》なら知《し》っている からともかく
俺《おれ》が唯一《ゆいいつ》 苦手《にがて》なスポーツを
ブリッジ
打《う》ち合《あ》わせに ないネタ やってるけど どうなってんの
え!?
あれ これでも
え…? いや…でも ちゃんとネタは たまごに入《はい》って
こっちがききたいよ
苦手《にがて》な技《わざ》を 狙《ねら》った様《よう》に 出《だ》して来るなんて
打《う》ち合《あ》わせで 採用《さいよう》になった奴《やつ》には ハンコが押《お》してある ハズなんだけど…
ええ〜〜〜!?
できる奴《やつ》が 居《い》るとすれば ただ一人《ひとり》しか いないはずなんだ
誰かが入れかえたんだな
うそ〜〜!!
なんで〜!?
…ス…
…
それは
俺《おれ》が

この16年《ねん》で
尚《しょう》
どこ行《い》くの？
一度《いちど》でも
ぶきゅ ぶきゅ
バドミントンなんてもんをした事《こと》がある相手《あいて》が
尚《しょう》!!
グッ
このCM長《なが》くないのよ!!
控《ひか》え室《しつ》に帰《かえ》ってる暇《ひま》無《な》いのっ
メイク直《なお》すんならここでお願《ねが》い
アイツしかいねェからだ――……!!
ぶきゅ ぶきゅ ぶきゅ ぶきゅ
さー早《はや》く早《はや》く
ずる ずる
…アイツ…

もしかして
復讐《ふくしゅう》してやる!!
だったら
芸能《この》業界《ぎょうかい》に入《はい》るんだな
アデュー
キョーコ

ACT.21 ここで会ったが百年目／おわり

頂上
上
中
スキップ・ビート!
ACT.22 それが法則《ルール》
下

…ずーーーーん…
ーー…どうして
こうなるのかしらーー…
私《わたし》がショータローを破滅《はめつ》の道《みち》へ追《お》い込《こ》もうと頑張《がんば》れば頑張《がんば》る程《ほど》
アイツの株《かぶ》を上《あ》げてしまっているわ…
ーーそれどころか
はい
それじゃあ次《つぎ》のコーナーはコレ!!
ドンッ
ドーンッ
ぱっ
風雲
サバイバル
島

は…

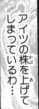

今回はゲストが不破君という事で未来のトップミュージシャンを目指すチャレンジャーが集いました――!!
いいか おいっ
今日《きょう》のところはすぐに代《か》わりがいないから君《きみ》に『坊《ぼう》』をやらせるが
次《つぎ》ちょっとでも勝手《かって》な真似《まね》したら 今後《こんご》一切《いっさい》このテレビ局《きょく》に出入《でい》りできない様《よう》にしてやるぞ
君がメジャーデビューした後もな!!
俺は偉いプロデューサー
…はい…
すみませんでした……
私《わたし》が番組《ばんぐみ》進行《しんこう》のネタを勝手《かって》に入《い》れかえた事《こと》がバレてしまって
芸能界《げいのうかい》での生存《せいぞん》が危《あや》ぶまれるのは私《わたし》の方《ほう》ばかり――……
ニワトリ窮地に立つ
コッ
ココッ
それもこれも……
全《ぜん》っっ部《ぶ》
ふるふる
あんたのせいよ!!
ショータローー!!
…なのに…っ
カチャリ

なぜ私《わたし》が コイツにお茶《ちゃ》 出《だ》さなきゃ いけないの…!!
只今VTR 放送中
しかもこんな 傍《そば》に居《い》て もう 手《て》が下《くだ》せ ないなんて
ますます 憎々し……
カチャ
ちら
…ぢ……
ばちっ
!!
…え…?
な……
なに……!?
バリーイッ

……っ
ググググググ
白刃取り
……っ
…な……
何《なに》してんの…?
不破君《ふわくん》……
…いや……
──…な…っ
なんで急《きゅう》に気《き》にすんのよ!!
そんな事《こと》 生番《なまばん》の最中《さいちゅう》に!!
あんたなら一生気にする事もない様な事さ…!!
ど…つどういうつもり……!?
こういうのって
中身《なかみ》 男《おとこ》なのか
女《おんな》なのか
気《き》になって
ぎくりっ
このっ
バッ
バカショー!!
私《わたし》にさわんないでよ!!
このっ
ガッ
ガッ
ガッ
ガッ

むガ!?
ぜいぜい
ああ!!
白刃取り(?)
はあはあ
返し
し…しまった……!!
…なんだよ…ずいぶんと必死《ひっし》になって俺《おれ》の手《て》を拒《こば》むじゃねーか……
ザワザワ
なになに?
クスクス
尚とニワトリが…っ
キャッキャッ
イヤだすっかり仲良しね～
ちょっとかわいい～
…もしかして……
ぼそ
ジリ
ジリ
…!?
意外《いがい》とあんた…
…!?
復讐《ふくしゅう》してやる!!

俺《おれ》の知《し》り合《あ》い
キョーコ…!!
だったり
なーんかして…
どきぃっ
…な…!?
もしや
洋介《ようすけ》かーー!?
よいしょーー
ズルーーッ
フフ
バサ バサ
バサ バサ
きゃあああああーー!!
ややややめてええ〜〜〜!!
びゅん
ジンか!? ケンタか!?
びゅん
きゃあっ
きゃあっ
ドタドタドタドタドタ
いやー!! 頭《あたま》がとれちゃうーー!!
あははははは
おゴーいっ
変な顔〜っ
それともカズキか〜〜!?
ぬっぬげるう〜〜!!

いやぁぁ〜〜〜!!
こんな所《ところ》で コイツに正体《しょうたい》がばれるくらいなら死《し》んだ方《ほう》がマシよ——!!
助《たす》けてぇ〜〜〜!!
だっ誰《だれ》かぁぁ!!
ガッ
あっ
自分で自分の足にひっかかった
バヨッ
きゃ…っ
!!
ドデーーッ
ああああ〜〜〜!!
きゃあああああっ
ああっ 不破君《ふわくん》が!!
…あ 痛《いた》ったた〜〜〜……
あ…頭《あたま》っ
ちゃんとついてる
ほ〜…
よか…

…た…
…と…
げ!!
ひいやああああ!!
…な…っなに!! この構図《こうず》〜〜〜!!
ミってえ!!
一刻《いっこく》も早《はや》く退《しりぞ》きたいのに立《た》てない〜〜〜!!
ジタ バタ
ジタバタ
…あぁ〜……
もっとナイスバディで色気《いろけ》のある女《おんな》がいいのになぁ〜〜〜……
押《お》し倒《たお》すのも
押《お》し倒《たお》されんのも
む…っ
俺《おれ》…
か〜〜〜ッ
知《し》ってるわよ!!
そんな事改《ことあらた》めて言《い》われなくても!!
…だから

こういうのは
ぎゅう
趣味《しゅみ》じゃねーんだよ
悪いけど
ぐい——っ
……ぬあ……!!
…おや…?
ぎゅむ ぎゅむ
なに これ
ぎゅむ ぎゅむ
なんか ある
…な…
あ
もしかして これ胸《むね》?
…な…っ
ひょっとして あんた
女《おんな》だった?
…な…!!
ぶつっ

いやいや
悪《わる》かった
こういう
着《き》ぐるみってさ
だいたい男《おとこ》が入《はい》る
もんだと思《おも》ってたから
にや
ああでも
こういうのに入《はい》る
くらいの女《おんな》ったら
ゴゴゴゴゴゴゴ
地味《じみ》で色気《いろけ》のねー
女《おんな》なんだろうな〜〜〜
…コ…
殺《コル》オス…!!
→巻き舌
オオオオオオオオオオ
ズゴゴゴゴゴゴ
殺気MAX
うあ!!
なっ
なんだー!?
ぎょっ
…お…
コケコ〜〜
おあああああ〜!!
こっこら坊〜っ
なにやってるっ
早く坊をひっぺがせ〜!!
きゃあああっ
いいな〜!!
私も尚の首に巻き
つきた〜い!!

ドビーッ
立入《たちい》り禁止《きんし》
俺は偉いプロデューサー
決定《けってい》!!
偉いのだ
←捕獲
!!!???
猛鶏注意
ぜいぜい
はあはあ
ええ〜〜〜〜!?
ウソォ!!
どうしてですか〜〜〜!?
さっきのコーナーは大半《たいはん》がVT《ブイ》Rを流《なが》すコーナーだったからお前《まえ》らのドタバタはTV《テレビ》にゃ映《うつ》ってないが
スタジオの観客《かんきゃく》はVT《ブイ》R見《み》てなかったんだぞ!!
誰一人《だれひとり》として
おまけにっ
どうしてだと!? そんなもん お前《まえ》が番組進行《ばんぐみしんこう》とスタジオの空気《くうき》ぶち壊《こわ》したからに決《き》まってんだろ!!
一度ならず二度までも
ゲストに襲《おそ》いかかり首《くび》をしめるとは何事《なにごと》だ……!!
それもよりにもよって不破尚に!!
→番組のスポンサー贔屓《ひいき》
これが一番《いちばん》許《ゆる》されん!!
…だっ だって…!!

あれはアイツが……!!
むこうが先《さき》に私《わたし》の頭《あたま》を取《と》ろうと手《て》を出《だ》してきたから
うるさい!!
とにかくっお前《まえ》が勝手《かって》に入《い》れた前半《ぜんはん》のバドミントン対決《たいけつ》でかなり予定《よてい》が狂《くる》った!!
これから入《はい》る不破《ふわ》のミニライブは絶対《ぜったい》入れなきゃならんから
番組最後《ばんぐみさいご》の『坊《ぼう》』のプチコーナーは全面《ぜんめん》カットだ!!
!!
お前《まえ》にはもう用《よう》はない!!
さっさと帰《かえ》ってくれ!!
…どうして……?

坊

スキップ・ビート♪連載初期からキョーコには着ぐるみの仕事やらせたいって担当氏にも言ってたんですけど まさか自分でも その着ぐるみがニワトリになるとは

思ってませんでした♪ ただ漠然と、なんかトーク番組とか バラエティ番組のマスコット的存在になる着ぐるみ（たとえば さんまのまんまのまんまちゃんとか…）…のイメージだったので…着ぐるみを何にするかは『やっぱきまぐれ ロック』って番組名が決まってから試行錯誤を重ねやっと決定しました。

…どうして私《わたし》だけが 悪者《わるもの》にされるのぉ ………!?
ヒドイ!!
そりゃ…前半《ぜんはん》は 私《わたし》が悪《わる》かったのは 認《みと》めるわよ
でも…っ
後半《こうはん》は
アイツが先《さき》に しかけて来《き》たの みんな見《み》てたくせに ………!!
私《わたし》だけ怒《おこ》られて 私《わたし》だけTV局《テレビきょく》 一切《いっさい》 立入禁止《たちいりきんし》なんて
まだデビューもしてないのにーっ
ジタバタ
ジタバタ
こんなの不公平《ふこうへい》 よぉ~~~!!
悔しい~~
きゃあああ~!!
!!
びくっ
きゃあああああ
…っ
尚おお——
キャー
キャー
尚おおおお
キャー
キャー
こっち見て——!!
私も見て——!!
尚おお——!!
——…不公平《ふこうへい》…
…だけど……
カラ…

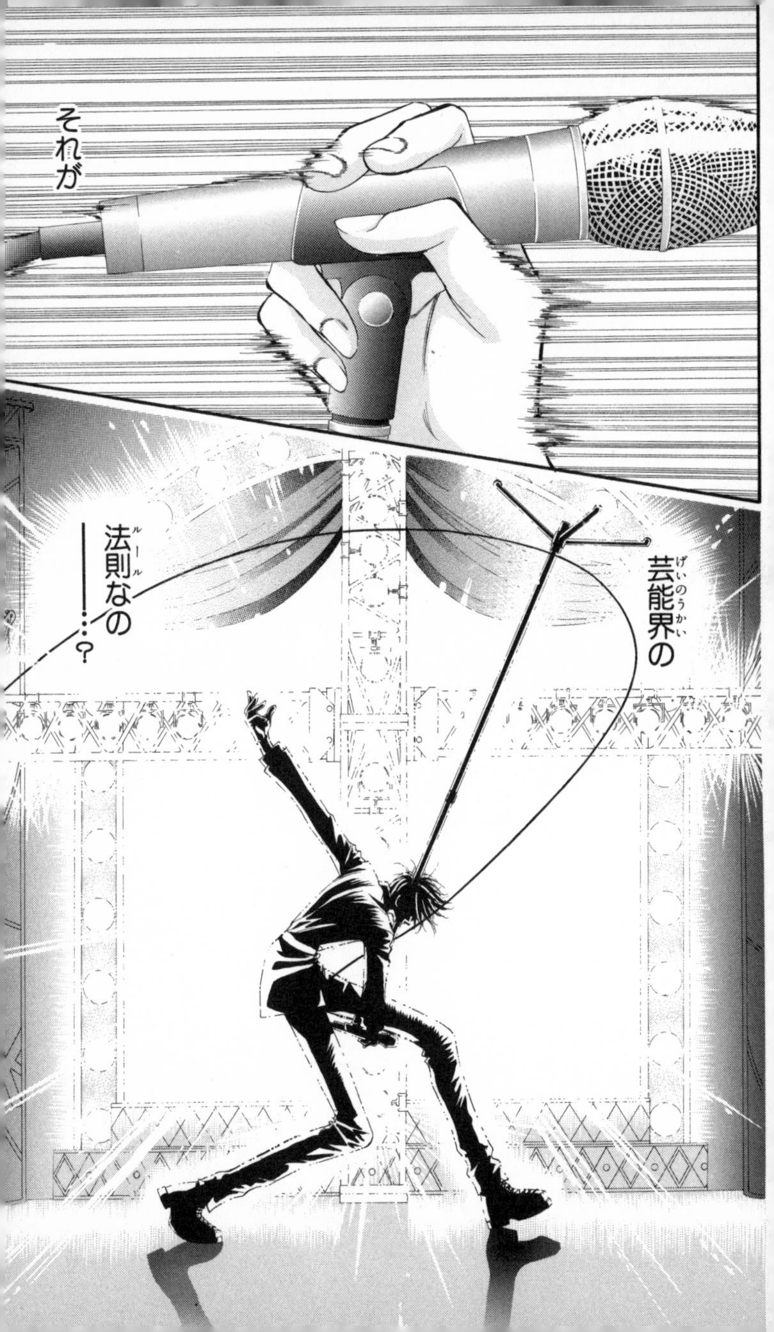
それが
芸能界《げいのうかい》の
法則《ルール》なの──…？

アイツが
出《だ》す曲《きょく》必《かなら》ず一位《いちい》を飾《かざ》る
上級歌手《トップスター》で
私《わたし》が
無名《むめい》の
新人《しんじん》だから――…

ぎゅう…
こんな
悔《くや》しい思《おも》い
したくなければ
行《い》かなきゃダメ
なんだ——…
あそこまで——…
アイツと対等《たいとう》の
位置《いち》に立《た》つには
あの

場所《ばしょ》へ――――…

眩《まぶ》しい

キャーーー!!
尚おおおおお
いいわ～いいわ～!!
格好いいわ～
今の表情《かお》色っぽいわ～
キャー
キャー
ーーー…
お姉さん達もう足腰ガクガクよぉ～
キャーキャーキャーキャー
がぼっ
…ほーーー…
なんとか無事《ぶじ》に終《お》われそうだな
良かった良かった
…
もうすぐ不破《ふわ》のミニライヴが終《お》わるみたいですよ
いや～～
やれやれだね
なんか話《はなし》に聞《き》いてたのとは ちょっと違《ちが》うとこもあったけど
キャーキャーキャーキャーキャーキャーキャーキャー
よく頑張《がんば》ったぞブリッジ・ロック～～～
ほ…

最低《さいてい》
ぷきゅ ぷきゅ ぷきゅ ぷきゅ ぷきゅ
ぷきゅ ぷきゅ ぷきゅ ぷきゅ ぷきゅ
最低《さいてい》
ぷきゅ ぷきゅ ぷきゅ ぷきゅ ぷきゅ ぷきゅ
最低《さいてい》
ぷきゅ ぷきゅ ぷきゅ ぷきゅ ぷきゅ ぷきゅ ぷきゅ ぷきゅ
最低《さいてい》!!
私《わたし》 アイツのせいで このTV《テレ》局《きょく》 立入禁止《たちいりきんし》に なったのよ!!
胸《むね》だって しこたま つかみまわ されて!!
きゅう〜〜〜っ
デビュー前《まえ》から いきなり活躍《かつやく》できる 場《ば》を 一《ひと》つ奪《うば》われた のよ!!
一度《いちど》ならず 二度《にど》までも 『地味《じみ》で色気《いろけ》のねー 女《おんな》』って言《い》われた のよ!!

それなのに!!
どうして一瞬《いっしゅん》でもあんなヤツが格好《かっこう》良《よ》く見《み》えちゃったりするのよ――――!!
私《わたし》のバカ――――!!
バカバカバカバカ
バカ――ンッ
バカバカバカ
バカ――ン
わーっ
キャーッ
暴れニワトリだ――!!
こんなバカな私《わたし》なんかもっとうんと痛《いた》い目《め》みればいいんだわ――!!
バカ――ンッ
ああーっ壁に亀裂がーっ
『坊《ぼう》』やってた子《こ》?
……え……?
ああ…もう帰《かえ》ったんじゃないかな
いないし
ザワザワザワザワ
あっヒカル 不破君っ お疲れ様―
元々《もともと》の『坊《ぼう》』の役《やく》の人《ひと》が急病《きゅうびょう》で出《て》られなくなったから代《か》わりにやってもらった女《おんな》の子《こ》らしいんだけどね
!!
…女《おんな》…
…それじゃあ

やっぱ あの
ニワトリ……!!
…もしキョーコだったら
反応《はんのう》するんじゃないかと
思《おも》って聞《き》かせた
セリフにも
反応《はんのう》があったし…っ
地味で色気のねー女
それに
あのどえらい
殺気《さっき》にも
覚《おぼ》えがある
……
あの時より
数倍パワーアップ
していたが……
なにより俺の
秘密に触れてくるのが
疑わしい……
なんで不破君《ふわくん》が
その子の事《こと》 気《き》に
してるか わかん
ないけど
その子《こ》
もう『坊《ぼう》』は
やらないと
思《おも》うよ
え?
今日限《きょうかぎ》りだって
言《い》ってたから
プロデューサーが
——……!
ほぉ…
まぁ仕方ないと
思うけどねー
番組に支障きたしちゃ
まぁ…
あのニワトリの中身《なかみ》が
キョーコなら
そんなトコだろうよ
あいつには土台《どだい》
ニワトリごときでも
無理《むり》なんだって
尚ったらっ
終わって急に
消えたと思ったら
何してるのっ
あ
祥子さん

…尚《しょう》
のどは？大丈夫《だいじょうぶ》なの？
大丈夫《だいじょうぶ》だって
しめられたっつったってあの鳥手だぜ大した事ねーよ
…もう…
怖《こわ》いわね…この業界《ぎょうかい》どこから何《なに》が襲《おそ》って来《く》るかわかんないんだから
気をつけなきゃ
俺《おれ》のファンだったんだろ
くす…
ストーカーだよストーカー
スト…
ちょっとっ
もしそうなら笑《わら》い事《ごと》じゃないわよ
そういうのってしつこいんだからっ
また来《く》るかも…っ
所詮《しょせん》あのレベルが限界《げんかい》
あのレベル
しかしそれさえも失敗したみたいだし
だ～～い丈夫《じょうぶ》だって
もし
アレがキョーコだったとしても
今度《こんど》俺《おれ》のそばへ来《こ》られるなんていつの日《ひ》か…
いやもうねーんじゃねーかな
くっくっくっ
ホント期待裏切らねーヤツ
ふふふふ
？
…ふ…
キョーコ…

お前《まえ》が俺《おれ》を追《お》って
マジで芸能《この》業界《ぎょうかい》に
入《はい》って来《き》てたとしても
俺《おれ》は
お前《まえ》になんか
つかまらねーよ
まあせいぜい下界で頑張れよってな
ぷうっくっくっくっくっくぅ
…いやだ…
なあにさっきから何か面白い事でもあるの？
ぷきゅううっ
…なんて事《こと》…
怒《いか》りにまかせて
闊歩《かっぽ》しているうちに
訳《わけ》のわからない所《ところ》へ
来《き》てしまった上《うえ》
これは何《なに》…？

神《かみ》が私《わたし》に
与《あた》えたもうた
罰《ばつ》な訳《わけ》!?

そりゃ確《たし》かにさっき
「もっと痛《いた》い目《め》
みればいいのよ」と
自分《じぶん》で自分《じぶん》を
呪《のろ》ったけれど…

だからって!!

どうしてこんな辺境《へんきょう》で
敦賀蓮《あのひと》と遭遇《そうぐう》しなきゃ
いけないの――!?
しかもこんな
へこみ気分の時に!!
いやあ!!
今この世で出会い
たくない人物
NO2《ナンバーツー》があ
～～!!
き…気《き》づかれないうちに
立《た》ち去《さ》ろう……っ
そお～～…
とね…

…あれ…？
いつもすましてて
涼《すず》しい顔《かお》してる
敦賀蓮《あのひと》らしくない…
…なに…？
……
ずいぶん
深刻《しんこく》な顔《かお》して……
どうしたんだろう……
ニは…
いやいや…っ
いいじゃない別《べつ》に
そんな事《こと》…っ
ぷり ぷり
それよりここから立《た》ち
去《さ》る方《ほう》が先決《せんけつ》よ!!
だってこのニワトリの
中身《なかみ》が私《わたし》だって
敦賀蓮《あのひと》に知《し》ら
れるのも 私《わたし》には
まずいんだから…!!
あの事で
外国人《がいこくじん》
相手《あいて》なら
死《し》に値《あたい》する
ところだわ
くわばら
くわばら
そろぉりぉ
ぷ
きゅう
う

←そっと歩く事で長くなる足音
うう～
ミザミッ
い～や～あ～あ～～～!!

……
…君《きみ》っ
!!
ひい…!!
ちょっと…いいかな
こ…っ声《こえ》かけてきた――!!
ウソ!!
い…っ嫌《いや》!!やめてよ!!
私《わたし》はただの通《とお》りすがりのニワトリよ!!
あなたみたいな芸能界《げいのうかい》の頂上《てっぺん》に君臨《くんりん》する人《ひと》が
こんなニワトリ風情《ふぜい》に一体《いったい》何《なん》の用《よう》…!?
…あ…失礼《しつれい》驚《おどろ》かせて……
…すみません…初対面《しょたいめん》の人《ひと》にいきなり
大変《たいへん》失礼《しつれい》な事《こと》だとはわかってるんですが…

今《いま》すぐに頼《たよ》れる人《ひと》がいなくて…
…
——……
…なに……?
…よかったら
敦賀《このひと》 蓮に
力《ちから》を貸《か》してくれませんか——…
一体《いったい》
どうしたの——…?
何《なに》があったっていうの——…!?

ACT.22 それが法則/おわり

スキップ・ビート!
ACT.23 嵐《あらし》の素顔《すがお》

――…
ズーーん
この世《よ》の終《お》わりの様《よう》な顔《かお》ってこういう事《こと》を言《い》うのね……
…どうしてこんなに落《お》ち込《こ》む必要《ひつよう》があるのかしら…
…だって…
…わ～～～
……
スゴイ…
REPLAY
…よかったら
力《ちから》を貸《か》してくれませんか――…

ぴよ
ぴよっ
ぴよ

……
…まぁ…
できる事《こと》なら…
↑一応声変えてる
!
携帯《けいたい》!!
お借《か》りできませんか!?
期待の光
…すみません……
持《も》ってないんです――
ゴ――ン…
REPLAY終わり
…て
…それだけなのに…
…そういえば この人《ひと》いつも自分《じぶん》で携帯《けいたい》持《も》ってたはずよね…
電話《でんわ》かけるくらいならテレビ局《きょく》の使《つか》えばいいのに…
公衆電話の一つや二つあるでしょう
忘《わす》れたのかな……
…あの…
何《なに》か携帯《けいたい》じゃなきゃいけない理由《りゆう》が…?
マネージャーさんは持《も》ってないんですか?
携帯…
……
…持《も》ってますけど……
あの人《ひと》の原因《げんいん》不明《ふめい》の故障《こしょう》でメンテナンスに出《て》てて
…なに その原因《げんいん》不明《ふめい》の故障《こしょう》って

その間《あいだ》貸《か》してくれてた代《か》わりの携帯《けいたい》も故障《こしょう》して今《いま》使用《しよう》不可能《ふかのう》なんです
――…!!
…これは意外《いがい》――…
あんないかにも 機械《きかい》は得意分野《とくいぶんや》ですみたいな知性的《ちせいてき》な顔《かお》をしていて
蓮マネ
ヤシロ 社
あの人《ひと》実《じつ》は
とんでもないハード破壊人《クラッシャー》!?
身体から電磁波でも出てるの!?
寄るとさわると機械がこわれる。機械に嫌われる人
ドラマスタッフももう6人空振《にんからぶ》ってるしな
……
忘れて来てたり奥さんにとり上げられてたりメールならいいよとかメルアド教えてくれたらいいわよとかの条件つきだったり
――…!!
これ以上《いじょう》 ウチのドラマスタッフにあたるのは危険《きけん》だ――!…
…あの〜〜〜…
そんな他人《たにん》の携帯《けいたい》借《か》りてまで何《なに》がしたいんですか?
…って不審《ふしん》がられてつっこまれたし
スタッフにも
これ以上深《いじょうふか》く何《なに》かつっこまれるのは……
台本
ふわ フワ 不和《ふわ》 不破《ふわ》…
ポチポチポチポチ
ケータイ インターネット
ビーして調べるのよー!! 不破尚よ!! 聞いた事あるでしょう!? 知ってるでしょう!? 今人気なのよ!! 人気ミュージシャンなのよ!! デビュー曲からオリコン一位
…
……もしかして

台本《だいほん》で 何《なに》か わからない事《こと》が あって調《しら》べたいとか ……？
な〜〜〜んて
まさかね〜〜〜!!
あははははは
仮《かり》にもLMEの 看板俳優《かんばんはいゆう》とか えっつらそーに言《い》われてる 人《ひと》がわからない文字《もじ》が あるなんて……
…違《ちが》いますよ
くすくす
そんなバカな事《こと》 あるわけないじゃ ないですか
――…て
図星《ずぼし》さされても 言《い》い通《とお》すのが 芸能人《げいのうじん》の鉄則《てっそく》 なんですよね
…っ
ぎくぅッ
貴方《あなた》が 私《わたし》に親切《しんせつ》に 教《おし》えてくれた 事《こと》よ
皮肉《ひにく》なものね 貴方《あなた》があんな事《こと》 言《い》わなければ
今《いま》の『違《ちが》う』という言葉《ことば》 素直《すなお》に信《しん》じてあげても 良《よ》かったのに
ふふ…
だけど無駄《むだ》だわ…
もう 君《きみ》が何《なに》を言《い》おうが ワタシはだまされない

君《きみ》には 台本《だいほん》でわからない文字《もじ》があったのだ!!!
気分はすっかり悪党を問いつめる私立探偵
そうだろう!! 敦賀君《つるがくん》!!
…
だから
違《ちが》うって言《い》うのに……
君もくどいな
笑《わら》ってごまかすつもりだな
この善人ヅラした悪党め
…いや…… だから
吐~かせろっ
君《きみ》のその甘々《あまあま》しい笑顔《えがお》に日本中《にほんじゅう》が騙《だま》されてもワタシは騙《だま》されないぞ…
吐~かせろ!!
私《わたし》知《し》ってんだから
あはははははっ
きゃはっ きゃは
これはおかしいわっ 恥《じ》ずかしいわ!!
この世の終わりの様な顔もするわ!!
これはなんとしても吐かせるべきよ~っ
そしてマスコミに売りつけるのよ――っ
いいえっ そうよっこれは絶対そう!!
いやぁ~っ
君《きみ》は 極上《ごくじょう》の笑顔《えがお》であれば ある時程《ときほど》油断《ゆだん》ならないってね
貴方《あなた》が 私《わたし》にイヂワルする時《とき》は いつも絶対《ぜったい》す~~っごい紳士《しんし》な笑顔《えがお》の後《あと》なんだから!!
君《きみ》のその笑顔《えがお》は反面鏡《はんめんきょう》だよ
他人《たにん》を欺《あざむ》こうとか 毒《どく》のある本音《ほんね》を露呈《ろてい》するその瞬間《しゅんかん》本音《それ》とはウラハラに作《つく》り物《もの》みたいに綺麗《きれい》な笑顔《えがお》で装《よそお》うんだ
つまり君《きみ》の心《こころ》がダークであればダークである程《ほど》君《きみ》の笑顔《えがお》は…

……ドッ……
ぴょんっ
ぴょ
ぴょっ
ぴょ
……お……
怒《おこ》らせちゃった――――!!!
ひぃぃ〜〜〜
ウ…ツウソ――!!
どどどどうしよう!!
こんな明《あき》らかに
怒《おこ》った顔《かお》なんて
初《はじ》めて……っ
はうわわ
わわわ
目っ目で人が殺せそう――!!
――…

…
い…いや…っ
…どうして
わかった…
こ……っ
…ひぇ…っ
は…っ
…
こ…!!
…ご…っ
ごめんなざ〜〜〜い!!
ダ〜〜ッ
怖《こわ》ああいい〜〜〜!!
敦賀君《つるがくん》が大嫌《だいきら》いなので
勘《かん》でイヂワル
言《い》っただけなんです
〜〜〜!!
しくしく
ペコペコ
しくしく
ペコペコ
ヘコヘコ
ペコペコ
…
謝るからっお願い
怒らないで〜!!
…ぷぅ…っ
……
…?
ちら
くっくっくっくっくっ
…え…?
あれ…?
……っ
……っ

…いや…っ
はーっ
失礼《しつれい》…
実《じつ》に
こ気味《きみ》いい
理由《りゆう》だと思《おも》って
……
……
ほけ…
…わ…
かえって気《き》に
入《い》ったよ
笑《わら》ってる
――…
涙流して
くっくっくっくっ
俺《おれ》…っ
面《めん》と向《む》かって大嫌《だいきら》い
って言《い》われたの
生《う》まれて初《はじ》めてだっ
…
すごく怒《おこ》ってた
はずだよね……
…もしかして…
…あの…
ひょっとして…
もう
怒《おこ》ってないの
……?
まさか… そんな… いくらなんでも
……
…怒《おこ》る…?
どうして?
早すぎ…
君《きみ》は さっき
謝《あやま》ってくれただろ
それはスゴイ勢いで
…はぁ…
それは…
でも…
あなた… あんな 理由よ…?。
俺《おれ》は…

一度《いちど》でも心《こころ》から非《ひ》を認《みと》めた人間《にんげん》に
それ以上《いじょう》怒《おこ》る必要《ひつよう》なんて無《な》いと思《おも》うよ――…
…う…
大人《おとな》だな――…
考《かんが》え方《かた》が――…
――…
わ……
…なんか――…
それに
他人《たにん》の目《め》をごまかさないと いけない様《よう》な性格《せいかく》してる俺《おれ》にも非《ひ》はあると思《おも》うし
私《わたし》が
…そうですね
逆《ぎゃく》の立場《たちば》なら
それは言《い》えてる。
本当《ほんとう》に勘《かん》で当《あ》てたのか…？
なぜ同意する
…っとそんな気《き》がしただけで…っ
…もういいよどっちでも
結局バレたし
くくく
そんな風《ふう》に言《い》えただろうか――…

誰《だれ》にだって
人《ひと》に知《し》られたくない
秘密《ひみつ》はある———…
…
…私《わたし》だって
———…
もし
ショータローの事《こと》を問《と》いつめられたら…
君《きみ》は 不破《ふわ》に
捨《す》てられた
のだ!!
ビシィッ
そうだろうっ
最上君《もがみくん》!!
ちがい
ます
いいや、これはそうだっ
あははははは
こりゃおかしいっ
恥ずかしいっ
ゲラゲラ
絶対そうっ
なんとしても吐かせるべきだ——っ
そして街中にビラをまきまくる——っ
…ひ……
ひどい…!!
なんてひどい
奴《やつ》なの!!
私《わたし》———!!
悪魔だわ!!
…つっ
敦賀《つるが》さ〜〜〜ん〜〜〜!!
ワタシが悪うございました〜〜!!
あ゛あ゛あ゛あ゛あ゛
バアッ
な…っ
なんだ!?
しぶる敦賀《つるが》さんを
泣《な》き落《お》とし
お願いですう〜〜!!
ワタシを…ワタシを人間《ヒト》にして下さ〜〜い〜〜!!
あ゛あ゛あ゛あ゛〜〜
ええ…!?
絶対誰にも言わないよ〜
小さな親切やらせてよ〜
なんか役に立たせてよ〜
しくしく ぐあぐあ
…あ〜う〜…
そうして
私《わたし》は
ようやく

人間《ヒト》にかえれた
いえ…見かけは鳥だけど……
――…それで
今日現場《きょうげんば》へ入《はい》ったら『このシーン変《か》わったから』って
いきなりこの台本渡《セリフわた》されたんだ…
――…そう…
…ふーん…
将由
なんか知らねーけど浩一の
そりゃもう天手古舞いだったさ』
貴一
『大変でしたね 言ってくれれば俺
将由
『バーカ。
――…で…?
このページのどれがわからないって?
わた…いや…ボクには解《わか》らないという君《きみ》の方《ほう》が解《わか》らないよ
――…
…だろうな……
だから誰《だれ》にも訊《き》きたくなかったんだ
そうして台本《だいほん》に名前《なまえ》が出《で》るという事《こと》は日本国民《にほんこくみん》の80%は知《し》っていて当然《とうぜん》だという事《こと》なんだと思《おも》うし……
…
…はぁ…
名前…?
それを俺《おれ》が理解《りかい》できないって事実《じじつ》を他人《たにん》に知《し》られたくなくて…
できれば自力《じりき》で調《しら》べたかったんだけど
↑携帯のインターネット辞書で
携帯をうっかり忘れてきてしまってね……
…やっぱり……

…それで… 結局《けっきょく》 何《なに》が ……？
わからないの？
ふ〜〜…
────!…
ピタ…
そりゃもう天手古舞いだったさ』
そりゃもう てんてこまい だったさ…？
俺《おれ》は共演者《きょうえんしゃ》の このセリフに 対《たい》して
『大変《たいへん》でしたね』と セリフを 返《かえ》さなきゃ いけないのだが
…はあ 返《かえ》せば いいのに
何をためらう必要が？
…実《じつ》は
俺《おれ》は 天手古舞《てんてこま》いが どう 大変《たいへん》な舞《ま》いなのか
全《まった》く
知《し》らないんだ────…

由来

名前が何故『坊』なのかというと、それは連想ゲームみたいなもので『きまぐれロック』の『きまぐれ』から
きまぐれ→自由気まま→風来坊→坊 そして私には
↑といえばこんなイメージが…

サ…サムライ……？
いえ…これは浪人…
普段から荒んだ目をした浪人…

坊・初期設定

そしてどんな大物ゲストにも激しくつっこみを入れるためのマイハリセン

しかし…番組のマスコットポジションだというのに、これではあまりにも可愛くなかったので現在のビジュアルに……
坊がニワトリになった経緯も同じで風来坊
→風の向くままフラフラリ
→風見鶏→ニワトリ
…という事から本当はネームしてる始めの段階では名前は『坊』ではなく風見鶏の『ミドリ』だったりしました…。
でも今ではやっぱり『坊』の方が似合うと思います。

…は…!?
天手古舞《てんてこま》いが
荒々《あらあら》しい舞《ま》いなら
俺《おれ》のセリフは驚《おどろ》く様《よう》に
ちょ…
リズミカルな舞《ま》いなら楽《たの》しそうに
ちょっと待《ま》って!!
天手古舞《てんてこま》いっててんてこまいよね!?
それによって
『大変《たいへん》でしたね』というセリフのニュアンスが左右《さゆう》されると思《おも》うんだ
てんてこまい = とても忙しくたち働く事 またはその様子
つまり俺《おれ》は天手古舞《てんてこま》いがどういう舞《ま》いかわからない限《かぎ》り
…こ…つ
自分《じぶん》のセリフをどう言《い》えばいいのかつかめない…
…この人《ひと》…!!
…だから教《おし》えてくれないだろうか…
てんてこまいを……!!
ふる ふる ふる ふる
ミダミッ ダメミッ
耐えてミっ
耐えるのよっ 私ミ!!

天《てん》手《て》古《こ》舞《ま》いとは
しし舞い
日舞
トンツク
トンツク
ピ〜ヒャラ
シャン
どういう舞《ま》いなんだ……
タイ
ダンツン
ヒラメ
ダンツン
真剣
ダ
ダメ もう我《が》慢《まん》できなーーい!!
ぶ…っ
ぷっふ〜〜〜〜!!
…あ
居《い》た!!
蓮《れん》!!

もう〜〜…今《いま》 俺《おれ》の携帯《けいたい》使《つか》えないんだからフラフラどっかいなくなるのやめてくれないか
いつもは携帯で呼び出される
ミごめん……
セリフ覚《おぼ》えるのに一人《ひとり》になりたくて
……
…ぷ…っ
…笑《わら》うな
どうやら天手古舞いの本当の意味を教わったらしい
こちらは?
知り合い?
…
まあ…ちょっと…
ペコリ
…ふ〜ん…
珍《めず》しいな…
蓮《れん》が台本《だいほん》見《み》る時《とき》他人《たにん》を傍《そば》に置《お》いとくなんて…
俺でさえ避けられるのに
……
余程仲《よほどなか》の良《よ》い知《し》り合《あ》いなのかな
ミだとすれば
良《よ》かった…蓮《れん》。お前《まえ》ったらどこ行《い》っても皆無難《みなぶなん》かつ平等《びょうどう》に浅《あさ》く広《ひろ》くつき合《あ》うから
業界で特別仲の良い友達なんかいないんじゃないかと…う
心配してたんだミ!!
ぷっほっ
また!!
そんなに笑《わら》う事《こと》ないだろう
俺だって恥ずかしいんだからっ
や…っ
ごめんごめん
でもさ
撮影現場目と鼻の先
あまりにもなかなかできない勘違《かんちが》いだったから
すこぶるツボに入ってしまって
…君《きみ》

この20年《ねん》 日本《にほん》で生《う》まれ育《そだ》って 一度《いちど》も耳《みみ》にした事《こと》 なかったの？
――…
…ふ〜〜〜ん
…ああ ――…
ま そういう事《こと》も あるかもね はっきり言《い》って てんてこまいなんて そうはしょっ中《ちゅう》使《つか》う ものじゃないし
でも
ザワ
ザワ
ザワ
私《わたし》は ショータローん家《ち》で たまに聞《き》いてたけど
旅行《りょこう》シーズンは 忙《いそが》しくて…
ミカミッ
あ…っ
ま… 眩《まぶ》し…
…どうかした？

…眩《まぶ》しい――――…？
スウ――――…
…
〜〜〜ああああ
あああああっ
ガックウ
――――……
…な
なんだ一体《いったい》…
…や…
やな…事《こと》……
思《おも》い出《だ》し
ちゃった
――――…
ず〜〜ん…
…どうした
…？
――――‥
…
…貧血《ひんけつ》…
…気《き》が…
…遠《とお》くなったの――――…
…
そりゃそんなの
ずっと着《き》てる
からだろう……
ミぎゅ
あの時《とき》――――…
アイツのいる
あの位置《ランク》まで
登《のぼ》らなきゃいけないの
かと
…その頭《あたま》
取《と》った方《ほう》が
いいんじゃ
ないか…？

思《おも》ったら――――……
……
気持《きも》ち悪《わる》いんだろ…？
…あ…っ
わ…
いや
ボク…ッ
…あの…っ
きょ…今日《きょう》でこの仕事《しごと》クビだから…っ
――…そうよ
もうちょっと着《き》てたいな～～～…
なんて…
も…
こんな着《き》ぐるみの仕事《しごと》さえ
まともにこなせないのに
…アイツの事《こと》を考《かんが》えると
仕事《しごと》を忘《わす》れてしまう
暴走《ぼうそう》してしまう――…
目《め》の前《まえ》に居《い》ると
こんな事《こと》で私《わたし》――…

本当《ほんとう》に
陽《ひ》のあたる場所《ばしょ》へ出《で》ていけるの——…?
‼
!?
そんなクビになった仕事《しごと》にいつまでも執着《しゅうちゃく》してたんじゃ
いつまでたっても上《うえ》へは行《い》けないぞ
それとも君《きみ》は
その着《き》ぐるみの仕事《しごと》が好《す》きなのか?
ダ…ッ
誰《だれ》が…‼
だったらさっさと脱《ぬ》いでしまえ
女々《めめ》しい。
スパッ
カチンッ
ど…っどうせ私《わたし》は女々《めめ》しいわよ——‼
だって女の子ですもの‼
なによ‼
君《きみ》に何《なに》がわかる‼
クビになった事《こと》もないクセに‼
…ダメだな…
あるよ。
クビくらい
⁉
…み…見栄張《みえは》るなよ…
大人げないな
…張《は》ってどうする
そんな事で
ザワ ザワ ザワ ザワ
おーし変更 シーンいいかー リハいくぞー
え〜っ まっ待って下さ〜い あともうちょっと〜っ
業界入《ぎょうかいい》りしたすぐの頃《ころ》は早《はや》く売《う》れたくてだいぶ空回《からまわ》ってたからね
役者《やくしゃ》として未熟《みじゅく》なくせに監督《かんとく》の言《い》う事《こと》聞《き》かなくて
クビにされた事《こと》
1 2 3 4 5 6 7 8
……‼
……
…………
——!
続いてる
こく こく こく
——…ウ…

ウ…ッツ……
ぱっくりー
こ…
敦賀蓮《このひと》…
そんな過去《かこ》の持《も》ち主《ぬし》なの——!?
まだ続いてる
意《い》——……
意外《いがい》——……
ずっと
デビューと同時《どうじ》に売《う》れちゃってる人《ひと》なんだと思《おも》ってた——…
下積み時代なんかあったんだ……
……
——…
……
…そっか
なんだ……
…この人《ひと》でも
……
どこまでいったかわかんなくなった
新人時代《しんじんじだい》は
たくさん失敗《しっぱい》してるんだ——…

――……とは
言《い》っても…敦賀蓮《このひと》はちょっと多《おお》すぎの様《よう》な気《き》もするけど…
まだ出てくるきざしが……
よくそれでここまで売れてきたわね……
は
売れてる……？
あれ……？
…ねぇ…君《きみ》みたいなトップスターが昔《むかし》そんなリストラ俳優《はいゆう》だったなんて
…そうだ…
こんなネタ
どうして一度《いちど》も話題《わだい》にならなかったの…？
不思議《ふしぎ》……
日本《にほん》のマスコミなら絶対《ぜったい》ほっとかなさそうなのに
ピクッ
君《きみ》 実《じつ》はその時《とき》日本《にほん》で芸能活動《げいのうかつどう》してなかったんじゃないの～～？
それ遠い異国での話だったりしてアメリカとかさ～
あはははははは
――…
は……

……………HA《は》～!
ムい
メリケンジェスチャー
…ムカつく!!!
ぐあっ
バカじゃねえ?って口で言われるよりずっと!!
その顔っそのリアクション!!
…や
失礼《しつれい》
気にさわった?
ソ～リィ～
ナニシロ米国《アメ～リカ》暮《ぐ》らしが長《なが》かったモノでクセなのデエス
ふるふる
片言外人マネっこ
キ～～～～!!
益々《ますます》バカにされてる～～～～!!
私《わたし》だってまるきり本気《ほんき》で言った訳《わけ》じゃないのに――!!
いいわよわかったわよっ貴方《あなた》の過去《かこ》になんてもう絶対《ぜったい》興味《きょうみ》持《も》たないわ!!
貴方《あなた》が昔《むかし》どこで何《なに》してたかなんて知《し》るものですか!!
蓮っ
蓮
入って
リハやるって
!
…ああ…
スック
ま…でも『アメリカ』は今《いま》ので除外《じょがい》されたわね
…撮影ちょっと見ていこうかと思ったけどやっぱり帰ろ……
だって
もし敦賀蓮《あのひと》が昔《むかし》アメリカに居《い》てそれを隠《かく》そうとするんなら
くる
反応《はんのう》は

に〜〜〜〜っこり
こう来《く》るハズだもの。
君《きみ》は　バカ？
くす…
ウソ・毒吐きのその前に
目くらまし
紳士笑顔《スマイル》
…
それはそれでムカつくわね……
ザワ　ザワ　ザワ　ザワ
…なんでこんな着《き》ぐるみの時《とき》にまでバカにされなきゃいけないの…!?
これはもう運命ね　そういう星のめぐりあわせなんだわ
ぷきゃぷきゃ
私《わたし》っ敦賀蓮《あのひと》とは一生《いっしょう》仲良《なかよ》くできないに違《ちが》いないない!!
——…
ふ…
敦賀《つるが》くうん
!!
ぱっ
ねえ
変更《へんこう》のシーン全部《ぜんぶ》覚《おぼ》えた〜〜〜〜？
え…？
…ああ　一応《いちおう》
どうしよ〜〜〜私《わたし》セリフ覚《おぼ》えるのって時間《じかん》かかるタイプなのよ〜〜
あ〜〜〜
NG出したらごめんね〜
大丈夫《だいじょうぶ》気《き》にしないでじっくりやっていこうよ

ね？
…う… …うん…… 敦賀君……♡
……
ぷきゅ ぷきゅ ぷきゅ ぷきゅ ぷきゅ
ぷきゅ ぷきゅ ぷきゅ ぷきゅ
キョロ キョロ
…え〜〜と〜〜〜…
私《わたし》…どう歩《ある》いて来《き》たっけ〜〜〜
このままここに着《き》ぐるみ脱《ぬ》いで置《お》いてっちゃおうかなぁ…
いやいやでもバッグも取りに行かなきゃいけないし
中にはおかみさんにかりてる大切なお裁縫セットと
呪い人形が
→ 大切なのか
た…
君《きみ》
え…？
——…え…？

…ええ…!?
…な…っ
なに…!?
なんで敦賀蓮《このひと》
こんなトコに居《い》るの!?
リハーサルは
どうしたのよ!!
…あ…
その…
…今日《きょう》の事《こと》…
ヘ?
セリフ…
…ああ
てんてこ
まい?
助《たす》かったよ…
本当《ほんとう》に…
ふわ
…ありがとう――…

――その時《とき》
一瞬《いっしゅん》
…それじゃ
俺もどらないと
…えぇ…!?
ま…まさか 貴方
それだけのために!?
鼓動《こどう》が
たた〜
あっ ちょ…っ
大《おお》きく
跳《は》ねたのは
こほ…っ
本当に…っ?
ねぇ…
きっと
いつもの
ウソつき紳士《しんし》な
笑顔《えがお》じゃ
なかったから
――…

…っ…
…つかめないな〜〜〜…
あ〜〜…
ぷきゅ ぷきゅ
ぷきゅ
ぷきゅ
敦賀蓮《あのひと》の性格《せいかく》だけは
本当《ほんとう》につかめない……
つかめたといえば——…
怒《おこ》ると
半端《はんぱ》じゃなく怖《こわ》くて
ケド
それさえかき消《き》えてしまう程《ほど》
どういう舞いなんだ……
真
おかしな勘違《かんちが》いもする人《ひと》で
デモ
私《わたし》が思《おも》ってた以上《いじょう》に
…
…怒《おこ》る…?
どうして?
大人《おとな》の人《ひと》——…
…そして
…ありがとう——…

――……
…もしかして――……
もっといろんな敦賀蓮《あのひと》に出会《であ》えたら
少《すこ》しは
仲良《なかよ》くなれるのかな――……
……あ……
そうだ……
私《わたし》も…お礼《れい》言《い》えばよかったかな
敦賀《つるが》さんの破天荒《はてんこう》な新人《しんじん》時代《じだい》の話《はなし》のおかげで
ヘコんだ気持《きも》ち浮上《ふじょう》したもの
石《コーン》無《な》しで復活《ふっかつ》できたのなんて初《はじ》めてっ
ふふふ
いちいちヘコんだりなんかしてちゃ
何度《なんど》失敗《しっぱい》したってクビになったって
ぷっきゅ
ぷっきゅ
ぷっきゅ
ぷっきゅ
芸能人《げいのうじん》なんか勤《つと》まらないんだ――!!
……っていうか
ぷきゅっ
トップスターになんかなれないんだ!!

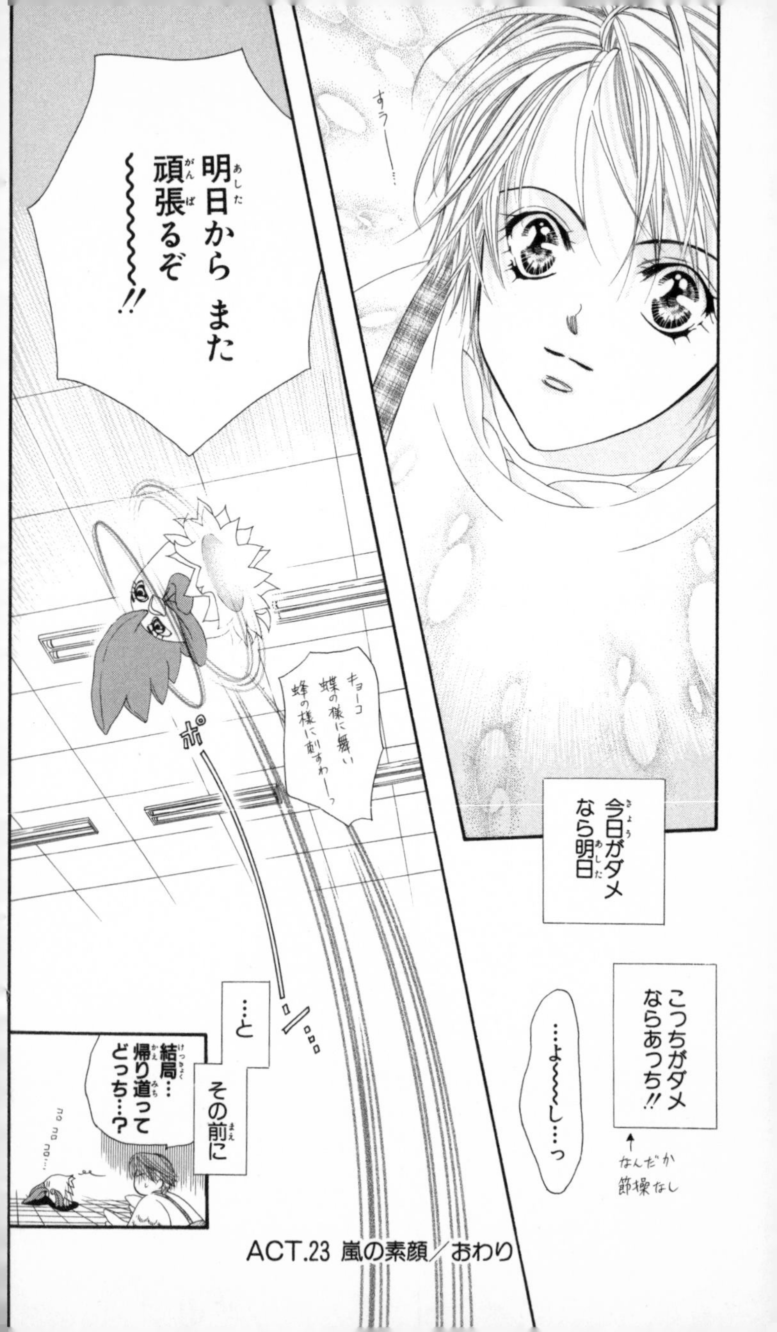
すラ——…
今日《きょう》がダメなら明日《あした》
こっちがダメならあっち!!
↑なんだか節操なし
…よ〜〜し…っ
明日《あした》から また頑張《がんば》るぞ〜〜〜〜!!
キョーコ 蝶の様に舞い蜂の様に刺すわー っ
ポ
…と
その前《まえ》に
結局《けっきょく》…帰《かえ》り道《みち》ってどっち…?
コロコロコロ…
ACT.23 嵐の素顔／おわり

《収録作品メモ》
●ACT.18　天使の言霊ー後編ー　平成14年　花とゆめ23号掲載
●ACT.19　てのひらのブルー　平成14年　花とゆめ24号掲載
●ACT.20　呪われた夜　平成15年　花とゆめ1号掲載
●ACT.21　ここで会ったが百年目　平成15年　花とゆめ2号掲載
●ACT.22　それが法則　平成15年　花とゆめ3号掲載
●ACT.23　嵐の素顔　平成15年　花とゆめ4号掲載

花とゆめCOMICS
スキップ・ビート！④

2003年7月25日　第1刷発行
2003年8月27日　第2刷発行

著者　仲村佳樹

発行人　草　彅　紘　一
発行所　株式会社　白泉社
〒101-0063
東京都千代田区神田淡路町2－2－2
電話・編集　03(3526)8025
販売　03(3526)8010
業務　03(3526)8020
印刷所　図書印刷株式会社

ISBN4-592-17824-6
Printed in Japan HAKUSENSHA

花とゆめコミックス◆白泉社

ささだあすか バラエティー 1～2

潮見知佳 B-EYES ブラック・アイズ 全4巻

清水玲子 輝夜姫 ①～㉒

杉原涼子 あめのち晴れ ①～②

高尾 滋 てるてる×少年 ①～⑥

高橋由紀 ヴァンパイア ①～②

高屋奈月 フルーツバスケット ①～⑫

橘 裕 人形師の夜 ①～⑥

立野真琴 カードの王様 ①～⑧

田中メカ お迎えです。 全5巻

筑波さくら 目隠しの国 ①～⑦

津田雅美 彼氏彼女の事情 ①～⑯

東城麻美 ブラッディ・ハザード ①

藤丞めぐる 緋《ひ》桜《おう》白《しら》拍《びょう》子《し》 全12巻

なかじ有紀 ビーナスは片想い ①～⑨

中条比紗也 花ざかりの君たちへ ①～⑳

仲村佳樹 スキップ・ビート! ①～④

なかむら よしみ らせんディスク 全2巻

成田美名子 NATURAL 全11巻

猫山宮緒 フライング・ドラゴン 全3巻

野間美由紀 パズルゲーム☆はいすくーる ①～㉞

葉鳥ビスコ 千年の雪 ①～②

葉山萌葱 ひだまり金魚

ひかわきょうこ 彼方から 全14巻

樋口 橘 学園アリス ①～②

日高万里 ひつじの涙 ①～⑤

樋野まつり とらわれの身の上 ①～⑤

平井摩利 火宵の月 ①～⑪

2003年9月現在

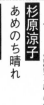

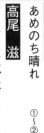